lucemar

Hermann Hesse

Demian

Traducción: Pedro Villalobos

Edita: Corporación Lucemar C.A.
RIF J315026309
CP 1073 La Urbina,
Caracas, Venezuela
Telf: +58 212 313 86 22
e-mail: corporacionlucemar@gmail.com

I.S.B.N: 978-980-7716-07-9
Depósito Legal: IF25220148003492

Prólogo

Publicada en 1919 es una de las obras más significativas y maduras de Hermann Hesse. Además es una de sus obras más leídas y la que lo catapultó a la fama. Los protagonistas poseen una gran fuerza además de verosimilitud. Su trama tiene la frescura del mito clásico, lo que le confiere una extraordinaria penetración psicológica. Se adelanta a su tiempo como novela de protesta y presenta a su protagonista, Emilio Sinclair, en su singular aventura para adentrarnos en el mundo oscuro necesario para lograr la energía vital y romper el cascarón, según las propias palabras del autor, para "nacer de verdad a la vida".

Primero Demian apareció con el pseudónimo de Emil Sinclair, nombre del narrador y protagonista de la historia. La novela, narrada en primera persona, expone el paso de la niñez a la madurez con todos los problemas psicológicos que ello conlleva, las luchas, preguntas y vicisitudes. El niño protagonista ha vivido hasta entonces en un mundo de ensoñación que Hesse denomina mundo de la luz, que empieza a cambiar con la introducción de Demian, personaje misterioso. Max Demian desempeña un papel enigmático que no descubre de qué lado está, si de la luz o de la oscuridad. Será el encargado de llevar al protagonista por los caminos del autorazonamiento. Para ello se vale de conceptos del gnosticismo, la identificación del mal con la materia, creencia en el Demiurgo o dios del mal que la había creado, se trata de una herejía que se remonta al siglo II d. C. Y que mezcla ideas cristianas con las filosofías griegas y orientales.

El Demiurgo actúa como impulsor del universo. En la novela se notan influjos de Nietzsche y como siempre en este autor, por la época en que vivió, del psicoanálisis, que estaba entonces en boga y como autoridad competente en la materia se inclina por el doctor Jung.

A través de las páginas de *Demian* asistimos a la reflexiones del autor sobre su atormentada adolescencia y sobre el impacto de la Gran Guerra. Aparece la dialéctica entre el bien y el mal, la noción del inconsciente, los instintos, todo ello sin descuidar el reflejo de la estricta educación cristiana que había recibido en su niñez con indudables huellas bíblicas que denotan la formación religiosa de Hesse.

La lucha entre la luz y la oscuridad es constante y se hace más agresiva a medida que el niño crece y se van produciendo los cambios entre niñez, adolescencia y juventud. Max Demian es el compañero que aparece en su escuela como el auténtico psicólogo, componiendo todo el argumento una novela de formación, de iniciación a la vida.

El mal lleva por mal camino a Sinclair, Demian actuando entonces de ángel bueno lo salva. Se introduce la figura femenina de Beatrice así como el amor platónico del protagonista por ella. La creencia en un Dios poderoso que abarca también el diablo parece contestar a la eterna pregunta: ¿por qué Dios consiente el mal? Porque está dentro de él.

La novela editada en 1919 fue un éxito que conmovió profundamente a la juventud trastornada por el impacto reciente de la guerra y recibió el merecido premio Fontane para escritores principiantes.

Hesse apeló a la pintura de la que era experto, para mostrar sus sentimientos, así como a la música. Algunos han querido ver la actuación de Demian como manipuladora del pensamiento de Sinclair, privándolo de la libertad (en este caso se inclinaría por el mal y hasta tendría connotaciones nazis).

También como seguidor del psicoanálisis muestra la importancia de los sueños en el argumento. La obsesión por Beatrice es enfermiza. Sinclair simboliza la dualidad del ser humano, bueno y malo al mismo tiempo. Se trata en definitiva de una exquisita reflexión entre el sentido de la vida, el arte y el amor, trasunto de la mujer a la que hubiera deseado amar. La autobiografía de Hesse se mezcla con la fantasía, creando un todo armónico de un héroe solitario (como Hesse) que a pesar de todas sus mezquindades, posee grandeza y erudición. Hesse, rebelde como ninguno, rechaza el conformismo social, mientras que Sinclair nutre su mente con sucesivas alucinaciones. El lado oscuro se encontraba fuera de su hogar y comprendía todo lo que le rodeaba. Esto causaba a Sinclair mayor emoción que el lado bueno, que pertenecía a su casa y su familia, donde todo le era agradable, hasta el punto del aburrimiento.

Realmente Demian es una novela hermética.

Introducción

Debo mirar muy atrás para narrar mi historia. Quizá me tenga que trasladar a los primeros años de mi niñez; es más, probablemente tenga que llegar hasta mis propios ancestros.

Los poetas toman el papel de Dios cuando escriben alguna de sus novelas, consiguiendo entender y contar una historia humana en su esencia más pura, como si la hubiera relatado el mismo Dios. Pienso que yo no soy capaz de ello, ya que la historia que pienso relatar, a diferencia de la que cualquier otro poeta pudiera expresar, es sumamente importante para mí, porque que se trata de mi historia, la de un ser humano. No me estoy refiriendo a un personaje ficticio, imaginario, sino a uno vivo, único, un ser de carne y hueso. Actualmente, muy pocos conseguimos comprender lo que esto quiere decir realmente: un ser humano vivo. Tal vez por ello miramos continuamente cómo se arruinan las vidas de miles y miles de seres humanos, cada uno de ellos una expresión pura de la naturaleza. Sería algo muy sencillo hacer desaparecer a un hombre a través de una bala si no fuéramos algo más que personas aisladas, y entonces relatar historias no tendría ningún objeto. Sin embargo, cada individuo es un punto importante, peculiar y único en donde convergen, una sola vez, los fenómenos de la Tierra. Y es por ello que, mientras un ser humano viva y cumpla la voluntad de la naturaleza, la historia de cada uno de ellos será merecedora de toda atención; esto es algo sencillamente magnífico.

Podemos encontrar, dentro de cada hombre, un espíritu que padece y sufre, y que se crucifica; igualmente, en cada crucifixión podemos hallar a un salvador. En la actualidad, pocos son los que realmente aceptan lo que es un hombre, debido a que la gran mayoría solamente lo presiente. Estos últimos fallecen más calmados y aliviados, de la misma forma en que lo haré yo cuando finalice de contarles la siguiente historia.

Decir que soy un sabio sería ilógico. Sencillamente pienso que soy un hombre que ha buscado y que continúa en la búsqueda de respuestas; lo que me hace diferente, es que ya no las busco en las páginas de algún libro o en el firmamento lleno de estrellas, sino que las comienzo a hallar en las enseñanzas que van fluyendo incesantemente por mi sangre.

La próxima narración, mi historia, no es dulce o agradable por el simple hecho de ser auténtica, más bien tiene un sabor a sueños, a demencia, a insensatez y a conflicto, al igual que muchas otras historias de seres humanos que nunca se han engañado a sí mismos.

La existencia de cada ser humano es un sendero que nos lleva hacia un camino más grande. Nunca un ser humano ha sido totalmente él mismo, a pesar de que la mayoría tenga la firme certeza de que algún día lo será, unos entre neblinas y otros con perfecta claridad, pero cada uno como mejor pueda. Hasta el final, todos cargan en sus espaldas las sobras y lo viscoso de un mundo primario. Muchos nunca llegan a ser realmente hombres y continúan siendo ardillas, ranas, peces o hasta hormigas, pero todos son el impulso de la naturaleza hacia el ser humano. Todos tenemos un origen común: la madre. Todos provenimos del mismo monte, no obstante, cada uno tiene su objetivo, su meta final. Cada uno de nosotros solo puede comprenderse consigo mismo, aunque todos podemos llegar a entendernos a la perfección.

Dos Mundos

Empiezo mi historia con una situación muy particular de cuando tenía 10 años de edad y estudiaba en la escuela de la ciudad donde nací.

Me siguen provocando nostalgia y melancolía cosas como los callejones oscuros, las calles, casas y torres limpias y claras; el sonido de las campanas de los relojes, numerosos rostros, habitaciones llenas de confort y bienestar, habitaciones enigmáticas y fantasmales, los remedios caseros, los animales, la fruta seca, la servidumbre y aromas como el de la cálida intimidad. En todo ello se fusionaban dos mundos tan opuestos como la noche y el día.

Uno de esos mundos estaba ocupado por la casa de mis padres. Este mundo simplemente se llamaba padre y madre, amor y rigor, buenos modales y colegio. Había claridad y limpieza dentro de este mundo; en él solamente cabían el lenguaje amable y cálido, los hábitos sanos, la ropa y las manos limpias e impecables. Aquí, cada mañana, se podía escuchar los cantos y se celebraba la Navidad; ahí solamente había caminos y líneas rectas hacia un mañana bueno y prometedor. Se podía encontrar en ese hogar el respeto y amor hacia la Biblia, la culpa y el perdón, el deber, la confesión franca y las costumbres decentes. Para poder vivir en este mundo tenía que permanecer dentro de los patrones de la vida hermosa, limpia y ordenada.

En lo que se refiere al otro mundo, este comenzaba en nuestro propio hogar, pero era la otra cara de la moneda. Su aroma era distinto, sus palabras sonaban de otra forma, pedía y ofrecía cosas muy diferentes. Este mundo opuesto se encontraba lleno de relatos de aparecidos, criados, aprendices y rumores indecentes; existían ruidos muy fuertes de cosas aterradoras y misteriosas como la cárcel y el matadero; relatos de robos, de asesinatos, de suicidios, sonidos de quejidos y llantos, caballos que se desplomaban, vacas pariendo y personas ebrias. Hermoso y terrorífico, salvaje y cruel, este mundo nos rodeaba en la siguiente calle, en la casa del vecino; a diario pasaban policías y ladrones, hombres embriagados les pegaban a mujeres indefensas y las ancianas tenían la habilidad de embrujar y hacer caer enferma a cualquier persona. En este mundo también, durante las noches, cuando las mujeres salían de su trabajo en las fábricas completamente abrigadas, los viciosos eran detenidos por los guardianes del orden y los bandidos se escondían en la complicidad de la noche. Este mundo salvaje e impetuoso estaba presente en cada esquina, en cada calle, a excepción, por supuesto, de nuestra casa y cuartos donde estaban mis padres. Y era muy bueno que fuera de esa manera, ya que era muy hermosas la paz y la calma que llenaban nuestro hogar y que sentíamos todos los que habitábamos ahí; este mundo estaba lleno de responsabilidades, de amor, de perdón y de conciencias tranquilas. No obstante, también era magnífico que existiera el otro mundo, el horrible, el de los sonidos estridentes, el de lo brutal y lo cruel, porque yo estaba seguro de que podía escapar de ahí, para refugiarme en los brazos de mi madre bella y amorosa.

Lo más asombroso de todo esto, es que ambos mundos estaban muy próximos uno del otro. Lina, la criada de nuestra casa, puede ser un buen ejemplo de ello. Durante las noches, ella participaba en los cantos y las oraciones de la familia, se podían ver sus ropas bien planchadas y almidonadas y sus manos pulcras; en ese instante, ella pertenecía completamente al mundo de mis padres, al de nuestra familia, al que era honorable, limpio, recto y transparente. Sin embargo, después, cuando me la encontraba en el sitio donde guardábamos la leña o en la cocina, me contaba historias de peleas entre vecinos, de pleitos callejeros o de hombres sin cabeza; Lina, en esos instante, era totalmente distinta a la que veía en el mundo de mis padres; ahora parecía encajar perfectamente en ese otro mundo prohibido y enigmático.

Y de esa manera era con todos, incluso conmigo mismo. Yo siempre pertenecí al mundo iluminado y recto, pero hacia cualquier lugar que mirara, el otro mundo estaba presente, y aunque considerara que era extravagante y siniestro, yo mismo habitaba y era parte de ese mundo sombrío y oscuro, donde permanentemente llegaba a mí el remordimiento y el temor. Algunas veces, prefería ser parte de ese mundo prohibido, y en muchas ocasiones, al volver al recto y claro, parecía ya no tener esa hermosura y pulcritud que tenía anteriormente, ahora parecía aburrido y vacío. En mi mente tenía muy claro que mi objetivo final era el de llegar a ser alguien igual a mis padres, pero para lograr cumplir esa meta, tenía que seguir un camino muy largo y agotador; tenía que asistir al colegio, estudiar mucho para conseguir aprender muchas cosas, eximir pruebas y exámenes, entre otras cosas. Y curiosamente, este sendero que debía seguir siempre estaba en la frontera del mundo prohibido. En muchas oportunidades, cuando lo cruzaba, era muy fácil que cayera y me hundiera en él. Continuamente me tropezaba con historias de hijos perdidos que habían padecido esto, las cuales leía con mucha pasión. Volver al hogar, al lado de mis padres, me liberaba de toda culpa, lo cual era estupendo. Sabía a la perfección que esto era lo mejor y lo que más quería, pero las personas que se desenvolvían en el mundo oscuro, las personas sucias y malas, eran mucho más atractivas, y si alguna vez lo hubiera podido decir, sentía una inmensa tristeza al sentir que el hijo volvía al sendero correcto. Pero esto era impensable, y mucho menos se podía decir, no obstante, existía en mi mente. Al imaginar al demonio, lo podía ver en las calles, disfrazado o no, en la cantina o en alguna tienda, pero jamás lo podría haber visto en mi casa.

Mis hermanas, que, indudablemente, también formaban parte del mundo hermoso y pulcro, estaban más próximas a nuestros padres, tenían menos defectos que yo, eran mucho más buenas. Sin embargo, ellas también cometían equivocaciones, pero yo creía que no era nada profundo y que ellas no se sentían tan atraídas como yo hacia el mundo prohibido, hacia lo doloroso y lo agobiante. Me enseñaron siempre que tenía que respetar a las hermanas y que tenía que cuidarlas, igual que a mis padres. Así pues, cuando peleaba o discutía con ellas, tenía un enorme remordimiento, me sentía perverso y muy malo, hasta que conseguía su perdón. Y es que cuando se ofende a las hermanas, se está haciendo igual con los padres, con los modales que se nos han enseñado, con la generosidad, la bondad y todo lo que es parte del mundo correcto y bueno. Y a pesar de que había asuntos que yo compartía mejor con los vagos en las calles que con mis hermanas, cuando tenía mi conciencia en paz y los buenos tiempos estaban presentes, me entretenía mucho jugando con ellas, comportarme con decencia, ser correcto y poner un aura de bondad sobre mi cabeza. ¡Seguro que es esto lo que los ángeles sienten!, envueltos por las tiernas notas de suaves y hermosas melodías, fragancias tan exquisitas como la de la felicidad y la de la Navidad. ¡Qué pocos momentos como esos había en mi vida! Me volvía salvaje, apasionado, siempre que practicábamos algún juego calmado e inofensivo, y terminaba casi siempre ofendiéndolas y peleando con ellas. Cuando me dominaba la rabia me transformaba en un ser espantoso que solamente hacía cosas malignas y pronunciaba palabras ofensivas y humillantes, expresando todo ello de una forma tan profunda e intensa que provocaba temor. Más tarde venía el arrepentimiento y el remordimiento, el momento de pedir disculpas; en ese instante aparecía nuevamente la luz en mi existencia y llegaba la serenidad y la armonía que nada más duraba cierto tiempo.

Yo asistía al Colegio de Letras, al igual que los hijos de gente importante de la ciudad, como el alcalde y el guardabosques. En muchas ocasiones, los hijos de estas personas iban a mi casa para pasar el rato o jugar. Ellos eran unos jóvenes terribles, aunque pertenecían al mundo recto y respetable. A pesar de que compartíamos un cierto desprecio por los chiquillos que iban a la escuela popular, yo era muy amigo de algunos alumnos. Y es precisamente la relación con uno de ellos con la que comenzaré mi relato.

Una tarde, yo jugaba con niños de la vecindad cuando un muchacho mayor se nos unió; la gran parte de los muchachos estaban cerca de los 10 años y él tenía 13 años y una apariencia agresiva, además era más grande y fuerte que todos nosotros. Toda su familia se distinguía por su pésima fama y su padre era el sastre alcohólico de la ciudad. Este chico se llamaba Franz Kromer y yo le tenía mucho respeto, o mejor dicho temor, debido a que sus antecedentes no eran merecedores de que se uniera a nosotros. Hablaba y caminaba igual que los obreros de las fábricas, y sus modales eran los de una persona adulta. Cuando estaba entre nosotros, siempre se debía hacer lo que él decía; un día, por órdenes de Franz, nos dirigimos hacia las orillas del río y nos ocultamos debajo del puente. Era muy poco el espacio que teníamos entre el agua del río y la pared del puente, pero ahí se amontonaba basura, escombros, hierros oxidados y muchas cosas que las personas lanzaban. En muchas ocasiones logramos hallar en ese sitio objetos que nos eran útiles para algo, y buscábamos, bajo las órdenes de Franz, lo que él pudiera usar o vender. Cuando nos topábamos con algo de valor, él lo examinaba y si no le convencía, lo lanzaba al río otra vez. Andábamos buscando siempre cualquier cosa de cinc o de plomo, porque Franz decía que era lo más fácil de negociar. Yo no me sentía nada cómodo cuando estaba acompañado por Franz, y no era exactamente por el hecho de que mi padre lo supiera en algún momento, sino por el miedo a Franz. Sin embargo, sentía un enorme placer al ver que este joven malo permitiera que jugara con él y me tratara igual que a los otros muchachos. Siempre, Franz daba las órdenes y todos los demás las cumplíamos al pie de la letra; daba la impresión de que esto llevaba años sucediendo, aunque realmente era la primera ocasión que yo tenía contacto con él.

Después de nuestro trabajo, por llamarlo de alguna manera, tomábamos asiento en algún prado y reposábamos. Franz tenía el hábito de escupir entre los dientes y parecía un tirador profesional, debido a su puntería tan exacta. Ya ahí, todos comenzaban a hablar sobre sus proezas y travesuras en el colegio. Yo jamás decía nada, aunque en muchas ocasiones sentía mucho temor de que mi silencio captara la atención de Franz y despertara su furia hacia mí. A partir del día en que Kromer se unió al grupo, mis dos amigos se aproximaron a él y se distanciaron de mí. En el grupo mi posición era la de un simple observador y creía que mi indumentaria y mis modales los alejaba. No cabía en mi mente la idea de que Franz admitiera como compañero de juego a un chico bien vestido, de excelente y distinguida familia y que asistía al mejor colegio de la ciudad. Me daba la impresión de que pronto los chicos comenzarían a agredirme y me echarían.

Después que analicé todo esto y que conseguí vencer mi miedo, comencé a participar de manera activa en las conversaciones de los chicos. Puse a trabajar mi imaginación un día y salí con un cuento de ladrones en el que, indudablemente, yo era el héroe. A todos les comenté que una noche, y con la apoyo de un compañero, conseguimos robar un enorme saco lleno de manzanas de gran valor económico y muy finas. El miedo comenzó a invadirme cuando sentí la atención de todos los chicos, de manera que continué con mi historia intentando evadir sus miradas. Para mí era muy fácil la narración y la invención de historias, así que continué extrayendo mentiras de mi mente para poder hacer mi aventura más emocionante y más larga. De manera que les dije que uno de nosotros esperaba debajo de un árbol mientras el otro le tiraba las manzanas. Cuando llenamos el saco con el botín, nos dimos cuenta de que era excesivamente pesado, por lo que vaciamos la mitad y minutos después volvimos por lo que dejamos.

Cuando finalicé mi emocionante aventura esperaba que los chicos me felicitaran o se asombraran mucho, porque la forma de contarla y detallarla me habían hecho sentir algo que no podía describir. Sin embargo, los dos jóvenes de mi edad se quedaron en silencio y Franz me lanzó una pregunta retadora, mientras me miraba directamente a los ojos:

—¿Eso realmente sucedió?

—Sí —le respondí.

—¿No estás diciendo una mentira?

—No, en realidad fue lo que sucedió —respondí sin dudar un solo instante pero con el miedo recorriendo todo mi cuerpo.

—¿Puedes jurarlo?

El miedo se apoderaba de mí, pero le respondí que sí de inmediato.

—Si es así, repite: lo juro por Dios y por mi eterna salvación.

Repetí con voz muy firme:

—Por Dios y por mi eterna salvación.

—Está bien —dijo Franz y, sin comentar nada más, se alejó.

Por mi cabeza pasaba la idea de que Franz me dejaría de molestar después de esto, y recuperé el aliento cuando se puso en pie y nos dijo que era hora de irnos. Cuando llegamos al puente, en voz baja les dije a todos que tenía que volver a casa.

—¿Cuál es la prisa? —interrogó Franz con una burlona sonrisa—, yo también voy por ese camino, no te preocupes.

Los pasos de Franz eran lentos y yo no me arriesgaba a correr o a intentar huir, pues realmente íbamos por el camino hacia mi casa.

Cuando al fin llegamos, logré mirar la puerta de mi casa con su enorme aldaba dorada y la luz reflejada en la ventana de la habitación de mi madre. Mi casa, ¡gracias al Señor me encontraba en mi hogar, en el sosiego y en la paz!

Rápidamente, abrí la puerta y cuando quise cerrarla noté que Franz también entraba a mi casa. En el zaguán, donde apenas un pequeño rayo luminoso nos alumbraba, él se aproximó y cogiéndome del brazo me dijo:

—No tan rápido.

Todo mi cuerpo fue recorrido por un frío helado. Su mano sostenía con mucha fuerza mi frágil brazo. Supuse que su intención era la de pegarme. Pensé en gritar y solicitar ayuda, pero ¿alguien llegaría lo bastante rápido para socorrerme? Decidí mejor no hacerlo.

—¿Qué te ocurre? —pregunté—. ¿Qué es lo que deseas?

—Me encantaría preguntarte algo sin que los otros lo sepan.

—Muy bien, de acuerdo, pregúntame lo que desees, pero rápido, porque ya es hora de que me reúna con mis padres.

—Quisiera saber quién es el dueño del huerto que está al lado del molino; ¿sabes de quién te estoy hablando, verdad? —preguntó Franz en voz baja.

—Creo que pertenece al molinero, pero no estoy totalmente seguro.

Franz me tenía abrazado con mucha fuerza y su mirada funesta y maligna no se alejaba de mí. Su cara tenía dibujada la crueldad y el poder.

—Pues, mira chiquillo, sé perfectamente a quien pertenece ese huerto. Yo ya había tenido noticias con respecto al robo de manzanas, y supe que el dueño ofreció dos marcos a quien le dé información sobre el ladrón.

—¡Mi Dios! —le dije—. ¿Tú serías incapaz de hacerlo, no es cierto?

Yo estaba completamente seguro que era en vano esperar que Franz actuara amistosa y honradamente, ya que él pertenecía al mundo malo y prohibido. El deshonor, las traiciones y los malos actos eran cosas cotidianas en ese mundo y yo sabía muy bien que eso era así. Esta, era una de las enormes diferencias con el ambiente que existía en mi hogar.

—Si piensas que no le diré nada al molinero, estás en un grave error —dijo Franz riéndose—. ¿Crees acaso que yo fabrico el dinero? Mi padre no me puede dar lo que yo deseo, de manera que si puedo producir algo de plata con el molinero, no dejaré pasar la ocasión Es más, tal vez me dé más de lo que ofreció.

Después de decir esto soltó mi brazo. El zaguán de la casa había perdido esa fragancia a sosiego y paz. En un instante, todo mi mundo se derrumbó frente a mí. Franz me iba a delatar; me había transformado en un ladrón, en un delincuente. Cuando mis padres se enteraran de la noticia, probablemente la policía me iría a buscar y me atraparía en mi propia casa. En ese instante mi mente estaba llena de aterradores y peligrosos pensamientos; y aunque supiera a la perfección que yo no era culpable del hurto de las manzanas, nadie me iba a creer, porque lo había jurado en nombre de mi eterna salvación y de Dios. ¡Mi Señor!

Casi a punto de romper en llanto, hurgué en mis bolsillos para ver si hallaba algo de valor que pudiera ofrecerle a Franz y de esa manera conseguir que no dijera nada, pero mis bolsillos estaban vacíos, desgraciadamente. Me acordé de un reloj de plata que mi abuela me había regalado y que llevaba conmigo siempre; no funcionaba, pero rápidamente me lo quité y se lo entregué a Franz.

—Kromer —rogué—, por favor, te pido que te quedes callado, eso es incorrecto. Mira, a cambio de tu silencio te doy mi reloj, no poseo nada más de valor. Te puedes quedar con él, y aunque no funciona, es de plata y tiene arreglo.

Franz se río ruidosamente y, con una de sus fuertes manos, me arrebató el reloj, esas manos que amenazaban mi vida y mi tranquilidad.

—Mira, es de plata —dije con voz tímida.

—Eso no me interesa, es más, tu reloj no me interesa ni que sea de plata —dijo de manera despectiva—, ten y repáralo tú.

—Por favor, Franz, espera —le dije con la voz entrecortada—, ¡no te marches, toma mi reloj, realmente es de plata, no tengo otra cosa de valor que darte!

Me miró desdeñosamente y comentó:

—Mira chiquillo, sabes perfectamente lo que haré. Tal vez también se lo diga a la policía, pues desde hace mucho tiempo conozco al sargento.

Franz abrió la puerta, y cuando iba a salir, desesperado, lo agarré de la manga. No me podía hacer esto; él sabía que si abría la boca todo mi mundo de paz y serenidad se evaporaría.

—Franz —grité intensamente alterado—, ¡no hagas eso! Estás intentando aterrorizarme y esto es solo una broma ¿no es cierto?

—Sí amigo, efectivamente, es una broma que te costará excesivamente cara.

—Por favor, Franz, pídeme lo que desees, haré cualquier cosa que me pidas.

Me miró a los ojos con mucha frialdad y se carcajeó nuevamente frente a mí.

—¡No seas chiquillo! —dijo furioso—. Tú sabes muy bien de lo que se trata. No desperdiciaré la oportunidad de hacerme de dinero. Sabes que mi padre nunca me da dinero y que no soy rico. Mira, tú llevas contigo hasta un reloj de plata. La única forma de que todo quede entre nosotros es si tú me das los dos marcos que me ofrece el molinero.

En ese instante comprendí perfectamente de lo que se trataba todo el asunto. Sin embargo, pedirme dos marcos era igual que pedirme 10 o 20. Yo no tenía dinero. Mi madre tenía guardada en su cuarto la alcancía donde tenía algunas monedas que me daban familiares en mi cumpleaños o cuando nos iban a visitar. A excepción de eso, yo no poseía nada. En esa época, mis padres todavía no me daban dinero para mis gastos personales.

—No tengo dinero —le dije a Franz con voz tímida, mientras bajaba la mirada—, te daré todo lo que tengo: una brújula, unos soldados y un libro.

Enfadado, Kromer escupió por entre los dientes y me miró.

—¡No digas estupideces! —me gritó de manera autoritaria—. ¡Una idiota brújula! No me quieras ver la cara y búscame el dinero.

—Pero, ¿de dónde lo sacaré si mis padres no me dan nada de dinero?... No es culpa mía.

—Tendrás mis dos marcos mañana. Nos veremos en el mercado cuando salgas de la escuela. Y no tendré más remedio que delatarte, si no llevas el dinero contigo.

—Kromer, por favor, ¿de dónde sacaré dos marcos? No los tengo ni los voy a tener.

—Hay bastante dinero en tu casa. Tu problema es conseguirlo, porque si no me entregas mi dinero mañana cuando salgas de la escuela...

Después que dijo esto, Franz me miró de un modo amenazante, aterrador, y se fue callado.

Sentí dudas de entrar a mi casa, pues me sentía indigno de ello. Mi existencia había llegado a su final. Pensé en huir, en arrojarme al río y en mil cosas más. Todo en mi mente era angustia, desesperación y confusión. Intenté recuperar aliento y tomé asiento en el primer escalón, agaché mi cabeza y me hundí en mi desdicha y en mis pensamientos.

De inmediato, escuché unos pasos que bajaban por la escalera. Era Lina que iba a buscar leña. Cuando me vio llorando se asustó, pero le rogué que no dijera nada y subí hacia la casa.

Al lado de la gran puerta de cristal estaba el perchero donde mi madre dejaba su sombrilla y mi padre su sombrero. Para mí, estos objetos representaban la paz y la serenidad del hogar, del mundo bueno. Cuando los vi, mi corazón sintió algo de consuelo. No obstante, ya no me pertenecía todo lo que anteriormente representaban esos objetos para mí; el mundo honrado, hermoso, bueno y limpio era solamente de mis padres, yo acababa de hundirme en el otro mundo, en el prohibido, en el malo. El pecado y las mentiras me habían hecho su presa; ahora el peligro, la vergüenza y el enemigo, me amenazaban de una manera espantosa.

Las dulces voces de mis hermanas mayores, el sombrero, la sombrilla, el cuadro que estaba sobre la chimenea y el piso de ladrillo rojo, todo lo que alguna vez fue lo más amado, respetado y venerado por mí, dejó de ser la seguridad y el refugio del bienestar; en este momento, todo eso no era más que una recriminación. Perdí todo eso. En el tapete de la entrada no se podía limpiar el lodo que llevaba en mis zapatos y mi hogar no sabía nada de los fantasmas que me perseguían y me amenazaban. Era insignificante cualquier temor que había sentido antes comparado con lo que mi espíritu llevaba hoy a cuestas. Daba la impresión de que el destino se empeñaba en perjudicarme, y ya ni los brazos de mi madre me podrían proteger, pues ellos debían ignorarlo todo. ¿De qué podía servir si era cierto o no lo del robo si yo juré ante lo más sagrado que lo había hecho? El haberlo hecho o no era mi pecado, sino que caminaba de la mano con el demonio. ¿Por qué me hice amigo de esos muchachos? ¿Por qué no tomé en cuenta las sabias palabras de mi padre? ¿Por qué disfruté inventando un relato de un robo como si hubiera sido una hazaña? Indudablemente, me encontraba atrapado en las garras del diablo.

En ese instante no sentía temor por lo que habría de ocurrir al siguiente día, sino porque mi vida había tomado un camino tenebroso y muy oscuro. Sabía muy bien que a mi pecado iban a seguir otros, que se transformarían en mentiras los besos y palabras hacia mi familia, porque un terrible secreto se escondía en ellos.

La confianza volvió momentáneamente a mí cuando miré con detenimiento el sombrero de mi padre. Tal vez si le comentaba todo lo ocurrido, él me regañaría y castigaría; podría hablarle francamente, él comprendería, me perdonaría y esa sería mi salvación. Ya había ocurrido otras veces y no había pasado de un regaño, un castigo y después, nacido de mi arrepentimiento, el perdón.

¡Eso sería maravilloso! Pero yo sabía muy bien que no sería de esa manera. Yo mismo tenía que llevar mi falta y mi secreto. Se abrían dos caminos frente a mí, y posiblemente ahora mi existencia pertenecía al mundo malo; había compartido secretos perversos y dependía de ellos en este momento. Era hora de pagar las consecuencias, porque quise ser un héroe muy valiente.

Me sentí a gusto al darme cuenta de que mi padre miraba mis zapatos cubiertos de barro y mojados. Esto permitiría que se desviara su atención y no notara lo realmente grave. Repentinamente me invadió la maldad. ¡Sentía que estaba muy por encima de mi padre! Sentí un inmenso desprecio hacia él por su ignorancia. Me provocaban risa sus regaños por mis zapatos húmedos. ¡Si supieras lo que en realidad está sucediendo! —pensaba como un malhechor a quien lo cuestionan por un robo muy pequeño y que en su historial ya hay varios homicidios—. Lo que estaba sintiendo en ese instante era aterrador y confuso, pero de tal magnitud y fuerza que me ataba excesivamente a mi pecado y a mi gran secreto. Tal vez en esos momentos, pensaba yo, Kromer ya me había delatado con la policía; comenzaría la tempestad y mi padre me estaba regañando como si fuera un chiquillo.

Este suceso fue lo más importante dentro de todo lo que he dicho hasta este punto. En los pilares que sostenían la majestuosidad con la que yo miraba a mi padre fue la primera fractura; fue la primera ocasión que perdía la confianza en mi padre, y que en realidad todo hombre, para lograr ser él mismo, debe perder algún día. Aunque nadie lo note, estos sucesos son los que determinan nuestro futuro. La ruptura se puede curar y unirse otra vez, es más, hasta se puede llegar a olvidar. No me faltaron las ganas de arrojarme a los pies de mi padre, besárselos y pedirle disculpa. Sin embargo, no es posible pedir disculpas por algo esencial. Esto lo sabe igual un sabio de 80 que un niño de 10 años.

Estaba forzado a pensar muy bien lo que tenía que hacer en referencia a mi problema; debía trazar nuevas rutas para el siguiente día, pero no me era posible. Necesitaba acostumbrarme al ambiente que había creado y que estaba inundando nuestra sala. Me comenzaba a despedir de los libros, de los cuadros de la mesa, del espejo y de la Biblia. Me invadió un sentimiento espantoso cuando me vi obligado a mirar cómo mi hermosa y noble vida se transformaba en algo distante y hasta ajeno. Ahora, me encontraba atado al mundo tenebroso y prohibido. Pude conocer lo amargo de la muerte, y ese sabor nuevo también tiene mucho que ver con el propio nacimiento, debido a que es un temor aterrador ante el resurgimiento en un mundo diferente.

Al llegar la noche, tuve que aguantar los cantos nocturnos y los rezos. Todos entonaron una de mis melodías predilectas; yo no pude hacerlo, pues cada nota y cada palabra de esa canción eran como una espada que traspasaba mi corazón. No pude rezar tampoco al lado de mi familia, y finalmente, cuando mi padre le dio gracias a Dios por todo y dijo: "Con nosotros esté tu espíritu", me alejé calladamente. Sentía que la gracia de dios, nuestro Señor, estaba acompañando a todos menos a mí. Profundamente cansado, caminé hacia mi habitación.

Después de pasar varios minutos acostado en mi cama, sentí que me abrazaban el calor y la seguridad de mi espacio. Sin embargo, velozmente un sobresalto en mi corazón me devolvía a la realidad. Sentía un enorme temor por todo lo que había sucedido. No había pasado demasiado tiempo desde que mi madre me había dado su bendición; aun podía sentir cómo sus pasos poco a poco se alejaban hacia su cuarto. Pensé que cuando ella volviera a preguntarme cómo había transcurrido mi día, yo le diría todo lo que había pasado, lloraría en sus brazos, recibiría un beso, su comprensión y su perdón; eso sería mi salvación y todo volvería a ser como siempre. Realmente pensaba que esto ocurriría.

Las penas y las angustias volvieron a mi pensamiento pocos minutos después. Mi enemigo no dejaba de mirarme con sus ojos feroces, su boca que reía ruidosamente y su mirada que me aseguraba que no hallaría escape alguno. Según transcurría el tiempo, mi enemigo crecía y se hacía más y más espantoso, y jamás me dejó hasta que me rindió el cansancio. Cuando caí dormido, tuve un sueño muy raro, pues no se trataba de todo lo que me había sucedido, al contrario, en el sueño iba a bordo de una pequeña embarcación con mi padre y con mis hermanas; la luz y la calma del ambiente eran idénticas a las de un día de vacaciones. Cuando desperté, aun podía sentir esa felicidad y sosiego de mi sueño. Las imágenes de los brillantes vestidos de mis hermanas aun permanecían frescas en mi mente. Sin embargo, enseguida pasé de la inmensa alegría y placer a la cruda y aterradora realidad; frente a mí todavía estaba ese enorme enemigo de mirada feroz.

La puerta de mi habitación se abrió de repente y miré a mi madre corriendo, diciéndome que ya era tarde. Al verme todavía recostado en mi cama, mi madre preguntó que cuál era la razón de ello y por qué tenía esa cara. Cuando intenté pronunciar unas palabras, vomité, porque no logré controlar mi cuerpo.

Parecía que este suceso me haría ganar algo. En muchas ocasiones disfrutaba bastante de pasar todo el día en la cama mirando cómo el sol entraba y salía por la ventana; igualmente, me agradaba mirar y conversar con mi madre mientras levantaba y ordenaba mi desarreglado cuarto. También, mientras jugaba o leía en la cama, me encantaba escuchar las discusiones de Lina con el carnicero sobre el precio de la carne. Realmente, un día sin ir a la escuela era una enorme diversión, pero hoy, esta situación no era divertida, pues una gran mentira era lo único que retumbaba en mi cabeza.

¡Hubiese sido mejor estar muerto! No obstante, lo que yo estaba experimentando no era la muerte, sencillamente me sentía mal como en tantas ocasiones, desgraciadamente, esto no era la solución a mi problema. Probablemente este día me salvaba de ir a la escuela, pero no me iba a salvar de Kromer, él estaría esperándome en el mercado. No me era suficiente el amor materno para sentirme reconfortado ese día. Sentía una extraña mezcla de miedo y enfado. Fingí estar dormido para poder pensar qué es lo que haría, y a las 10 en punto salté de la cama y dije que ya me mentía mejor. Mi madre me respondió que volviera a la cama, pues, de lo contrario, debería asistir a la escuela por la tarde. Le dije que debía ir al colegio, pues ya tenía listo un plan en mi mente.

Estaba completamente seguro de que sería inútil presentarme sin el dinero a mi cita con Kromer. Como fuera tenía que sacar mi alcancía, y a pesar de que sabía que en ella no había lo suficiente para completar la cantidad que me estaba solicitando Kromer, pensé que él se iba a tranquilizar si le daba algo de dinero. Pensaba que esto era preferible que nada.

Para sacar la alcancía, entré sin zapatos al cuarto de mi madre. Sentía un inmenso malestar por lo que estaba haciendo, pero ese sentimiento no era tan terrible como el de ayer. Mi corazón latía velozmente y casi se paralizó cuando me di cuenta de que la alcancía estaba completamente cerrada. Abrirla fue muy fácil, solamente tuve que romper una rejilla y extraer el dinero. Mi tormento se manifestaba a través del sudor en mis manos y mi mente, al darme cuenta de que ahora, realmente estaba robando, y no importaba que fuese mi propio dinero, era un robo. Esto hizo que me diera cuenta de que ahora ya estaba entrando al mundo de Kromer, al mundo prohibido. A medida que hurgaba en la alcancía, solo sentía la fragancia de los dulces y de las frutas. Continué metiendo mi mano en busca del dinero; ya no había marcha atrás ahora. Extraje el dinero y lo conté apresuradamente. Por el ruido que emitía cuando se encontraba dentro de la alcancía parecía ser mucho, pero al verlo en mis pequeñas manos, me di cuenta de que solamente eran 65 centavos. Oculté la alcancía debajo de la escalera y salí corriendo de la casa con el "pequeño botín". A medida que cruzaba las calles de mi vecindario, experimentaba una sensación excitante, nueva y distinta a cualquier otra que hubiera sentido. Escuché una voz que, desde arriba de mi casa, me gritaba, pero no le hice caso y continué corriendo.

Pude llegar mucho antes de la hora fijada por Kromer, de manera que para hacer tiempo, pasee un poco por las calles de la ciudad. Cuando alcé mis ojos hacia el cielo, me di cuenta de que existían nubes que nunca había observado, y que ellas, entre esplendorosos edificios, me miraban y sospechaban de mí. Ojalá hubiera podido reunir la suma que Kromer me pedía; ojalá rezando pudiera lograr ese milagro. Sin embargo, mi derecho a pedir un favor a Dios a través de la oración se había perdido, además, mi alcancía rota ya no podría componerse.

Kromer, al observarme caminando poco a poco hacia él, fingió que no me había visto y continuó caminando.

Cuando nos encontramos frente a frente, y sin pronunciar ni una sola palabra, me indicó con su feroz mirada y con sus inmensas manos que lo siguiera. Descendimos por la calle Stroggasse y seguimos nuestro andar hasta encontrarnos enfrente de un edificio en construcción que estaba en las afueras de la ciudad. Los trabajadores ya se habían ido, de manera que estábamos solamente Kromer y yo. Estiró la mano, al tiempo que me miraba fijamente, y me interrogó:

—¿Tienes el dinero?

Introduje mi mano en mis bolsillos, extraje el dinero y lo coloque en su mano derecha. Después que lo contó me observó con frialdad y me dijo:

—Únicamente hay 65 centavos.

—Sí —respondí tímidamente—. Ya sé que no es lo que me habías pedido, pero es lo único que logré conseguir; solo tengo eso.

—Creí que eras más inteligente —me respondió con una voz suave—. Debe existir el honor entre los caballeros. No deseo nada de ti que no sea justo. ¡Coge tus centavos! Hay una persona que, sin regatear, me va a pagar todo lo que necesito.

—¡Realmente es todo lo que tengo, son todos mis ahorros!

—A mí eso me importa un bledo. Pero como no quiero perjudicarte, vamos a ver, todavía me debes un marco con 35 centavos. ¿Cuándo me los darás?

—No estoy seguro de cuando, pero te juro que te los voy a dar, tal vez recibirás tu dinero en pocos días. Comprende que mi padre no debe enterarse de esto.

—¡Te vuelvo a decir que a mí esas cosas no me importan! Ya te dije que no te quiero perjudicar, porque estoy casi seguro de que, antes del mediodía, recibiré el dinero que me debes. Tienes ropas mejores y más limpias que las mías. Tu comida es mejor que la mía, porque yo soy pobre. Esperaré un poco y pasado mañana en la tarde te voy a llamar. ¿Puedes reconocer mi silbido?

Kromer chifló una señal que ya había escuchado antes.

—Sí —respondí—, lo conozco.

Después que dijo esto, Kromer se alejó de mí aparentando que no me conocía. Para él, se había cerrado un negocio, solo eso.

Inclusive actualmente, si se llegara a presentar la ocasión, me aterraría mucho escuchar el silbido de Kromer. Desde ese día, escuché ese sonido tenebroso para mí infinidad de veces; es más, lo escuchaba a cualquier hora y en cualquier sitio. A partir de ese día no había pensamientos, juegos o trabajos que no estuvieran unidos al silbido esclavizador de Kromer. Cuando llegó el otoño, salía por las tardes al jardín de mi casa y trataba de ser un muchacho bueno y sin pecados, pero al escuchar el silbido maligno de Kromer, todo eso que trataba de recuperar se destruía y tenía que ir en busca de mi verdugo para acompañarlo a los sitios oscuros y prohibidos, y escuchar su voz amenazante reclamando su dinero. Y a pesar de que esta situación no fue muy prolongada, creo que solo unas cuantas semanas nada más, para mí eran eternas; fueron días difíciles y largos. Fueron pocas las ocasiones en las que podía conseguir dinero para Kromer; por ejemplo, si Lina dejaba el monedero con el dinero de las compras en la cocina, tomaba de ahí algunos centavos. Kromer estaba siempre enfadado conmigo y me trataba de una forma despótica y humillante, pues pensaba que yo intentaba engañarlo y burlarme de él; en muchas ocasiones pensaba que yo era un infeliz que no quería darle algo que se había ganado, que era suyo. Nunca en mi vida me he sentido con tan poca esperanza y tan desdichado.

Iba llenando con fichas de juego la alcancía que había vaciado, y la había puesto otra vez en su sitio. Y a pesar de que nadie había preguntado por ella, estaba seguro de que en cualquier momento alguien la iba a buscar y se desataría una tempestad sobre mí. El miedo que sentía pensando que mi madre se aproximaría un día afectuosamente a preguntarme por la alcancía, era muy parecido al que experimentaba cuando escuchaba el silbido de Kromer.

Las veces en que tuve que asistir a mis citas con Kromer sin un solo centavo en la bolsa fueron muchas. Él me atormentaba y me comenzaba a utilizar de forma distinta. En algunas ocasiones me hacía trabajar para él; me enviaba a dar recados que su padre le había encomendado a él; también, si se sentía aburrido y se quería reír de algo, hacía que saltara sobre un solo pie por varios minutos; e inclusive me obligaba a colocarle un monigote en el trasero a cualquiera que pasaba caminando por el mercado. Por las noches me torturaban todos estos castigos por no haber obtenido dinero, transformándose en pesadillas constantemente. Fueron varias las ocasiones en que despertaba empapado en sudor y con el corazón agitado.

Esta situación hizo que me enfermara. Vomitaba continuamente y sentía un frío tremendo en todo mi cuerpo durante el día, y me invadían unas terribles fiebres por las noches. Mi madre, obviamente, se dio cuenta de que algo me ocurría y comenzó a ser más cariñosa conmigo. Esto era lo peor que me pudiera suceder, pues yo estaba seguro de que su amor y compasión no eran dignos de un chico como yo.

Mi madre, una noche de esas, se aproximó a mi cama sonriendo, se sentó junto a mí, me besó la frente y me regaló una barra de chocolate muy grande. Esto me trasladaba a épocas mejores, cuando yo era bueno y dichoso, y como recompensa a una buena calificación escolar o acción, me premiaban con golosinas o dulces. Estos recuerdos me destrozaban el corazón y yo solamente bajaba la cabeza. Mientras me preguntaba qué era lo que estaba pensando, las manos de mi madre acariciaban mis cabellos. Solo contestaba a mi madre con voz baja y entrecortada: "Nada, madre, realmente no es nada. No me des nada, por favor". Se puso en pie, dejó la barra de chocolate en la mesa al lado de mi cama y salió de mi habitación. Mi madre me fue a ver al día siguiente, y a preguntarme sobre lo ocurrido la noche anterior; yo aparenté no recordar nada. En otra ocasión, mi madre pidió al médico de la familia que me visitara. Él, después de examinarme, me recetó baños matinales de agua fría.

Mi condición física estaba totalmente desequilibrada por aquellos días. Mi vida era tortuosa y espantosa, mientras que en mi hogar la paz y la calma se respiraban por cualquier rincón; no me era posible participar en actividades buenas o convivir con los que me rodeaban, pues casi de inmediato, caía de nuevo en las garras de mi triste y penosa realidad. Y fueron muchas las oportunidades en que mi padre enérgico me preguntaba sobre lo que me ocurría, y yo, frío e impenetrable no pronunciaba ni una palabra sobre lo que me angustiaba y torturaba.

Caín

Súbitamente, llegó a mi vida la solución a mis problemas y, con ella, también algo nuevo para mí que, aun hoy me sigue incesantemente.

Llegó a la escuela un niño nuevo, hijo de una viuda con mucho dinero, llegó a la ciudad con su madre. Los dos todavía llevaban el luto, pues la señora vestía de negro y su hijo usaba un listón en la manga derecha. Este joven tenía pocos años más que yo y cursaba un grado superior, pero él llamó poderosamente mi atención, al igual que a la gran parte de los niños que asistíamos a esa escuela.

Su aspecto era el de un muchacho y no el de un chiquillo. Este asombroso alumno andaba entre nosotros como todo un caballero, como un hombre maduro. Nunca lo vi participando en juegos o en peleas. A los demás nos agradaba su firmeza y valentía frente a los maestros. Se llamaba Max Demian.

Sin saber exactamente por qué, un buen día instalaron en nuestro salón una nueva clase. Los más pequeños de la escuela cursábamos Historia Sagrada, mientras los mayores estudiaban redacción. De manera que, mientras nos relataban la historia de Caín, mi atención se enfocaba en la cara de Demian; contemplaba su seguridad e inteligencia para llevar a cabo cualquier actividad. Sus acciones y movimientos parecían los de un investigador sumergido en su trabajo y no los de un chico en la escuela. En el fondo, sentía algo en contra de él, no me simpatizaba. Me parecía decidido y superior a cualquiera, muy seguro de sí mismo. Sus ojos eran los de una persona adulta y no los de un joven (esto no agradaba a los chicos) que expresaban melancolía e ironía. De manera inconsciente, era muy poderosa la atracción que ejercía sobre mí, y sobre muchos de nosotros. Y cuando su mirada fría y calculadora se colocaba sobre mí, enseguida me giraba hacia otro lado con mucho temor. La apariencia que Demian tenía por aquellos años, era totalmente distinta a la de cualquier joven de su edad, pues desde esos años, él ya tenía una personalidad perfectamente definida y muy recia. Y tal vez esto era lo que llamaba mi atención poderosamente, aunque él intentaba pasar inadvertido frente a los otros. Su conducta era parecida a la de un príncipe que, disfrazado como las personas de campo, intenta pasar entre ellos sin que consigan darse cuenta. Un día, al finalizar las clases, Demian me siguió, y cuando por fin me dio alcance, me saludó al notar que todos los demás se habían marchado. Me saludó de una forma demasiado formal, aunque la mayoría de los compañeros lo saludaban de esa manera.

—¿Te puedo acompañar? —me dijo con amabilidad.

De inmediato le dije que sí, porque me sentí muy halagado. Para intentar iniciar una conversación, le expliqué en dónde estaba mi casa.

—¡Ah! ¿Allí? —dijo sonriendo—. Sé cual es tu casa. Hay algo en la puerta principal que desde que llegué al pueblo llamó mucho mi atención.

Me tomó por sorpresa el hecho de que conociera mejor que yo mi casa, aunque realmente, no sabía a qué se refería. Tal vez se estaba refiriendo al escudo que está situado sobre el portón. Este escudo ya había sido pintado en varias oportunidades, porque las lluvias y los vientos lo maltrataban mucho; sin embargo, creo que ese escudo no tiene nada que ver con nuestra familia.

—No sé de qué me estás hablando —le dije con timidez—. Creo que es un pájaro o algo parecido. Debe tener muchos años, pues mi casa era un convento.

—Tal vez —respondió Demian—. Obsérvalo con detenimiento, esas cosas suelen ser muy interesantes. Yo diría que es un gavilán.

Continuamos caminando y él hablaba al tiempo que yo estaba sumergido en mis pensamientos. De repente, Demian sonrió como si hubiera tenido una excelente idea.

—Hoy presencié tu clase —dijo jovialmente—. Estaban hablando sobre Caín, esa persona que lleva una marca en la frente. ¿Te agradó esa historia?

Por supuesto que no me había gustado. Nada sobre lo que tuviera que estudiar me gustaba, pero no me atrevía a comentárselo a Demian. El conversar con él era como hacerlo con un adulto. Pensando en ello le dije que sí me gustó.

Él dio unos ligeros golpes en mi hombro y comentó:

—Amigo, no tienes por qué mentir. No obstante, esa historia es demasiado extraña y no te dijeron todo en tu clase. Tu maestro se limitó a hablar solamente de Dios y el pecado. Yo pienso que...

Se giró y me dijo con una sonrisa:

—¿Realmente estás interesado? Yo creo que —siguió— la historia de Caín tiene otra interpretación totalmente distinta. Generalmente, cualquier cosa que nos enseñan en la escuela es cierta, pero todo puede ser mirado desde otro punto de vista, pudiendo comprender de mejor forma. La historia de Caín y la señal que lleva en la frente puede ser un ejemplo de ello, ¿no es cierto? Que alguien asesine a su hermano durante una pelea puede ocurrir; que alguien se arrepienta de esta acción, también puede ser; pero que justamente por ese hecho cobarde lo recompensen con una distinción que lo ampare y que inspire temor en los demás, eso sí pienso que no debe ser.

—Es verdad, tienes razón —dije a Demian. Me comenzaba a interesar profundamente esto de analizar las historias desde otro ángulo—. ¿Pero cómo se debe interpretar la historia?

Me golpeó en el hombro otra vez y dijo:

—¡Muy sencillo! Lo que en un principio existió fue la deshonra y en lo que se basó la historia. Había un hombre con el rostro marcado que atemorizaba a los otros. Nadie se arriesgaba a tocarlo; él y sus hijos eran intocables. Probablemente no era una señal en la frente, algo como un sello o insignia, porque la vida no es así de ingenua. Quizá se trataba de algo insignificante, pero, al mismo tiempo, perturbador. Los ojos de este hombre inspiraban miedo y le daban poder. Tal vez llevaba una "seña". Esta es la historia que conocemos y cada uno de nosotros la puede explicar como desee, y como el hombre siempre se inclina por lo simple, por eso se habla de que esa señal está en la frente. Sin embargo, todos tenían temor a los hijos de Caín, a los que tenían esa "seña". De manera que no era una distinción lo que marcaba a este grupo familiar, sino todo lo opuesto. Se comentaba que esos chicos eran malévolos, y realmente era así. Cualquier hombre con temperamento y valentía siempre ha sido perturbador para los demás. Era excesivamente incómodo para todos que una banda de hombres perversos anduviera suelta por ahí, de manera que debido a ello les inventaron una historia y les pusieron un apodo; de este modo se podían vengar de ellos y así poder justificar el miedo que sentían por ellos. ¿Comprendes lo que te estoy diciendo?

—Comprendo que Caín no fue tan malo, pero si esto es de esta manera, ¿es mentira todo lo que dicen en la Biblia?

—Sí y no. Las historias antiguas siempre son auténticas, pero no siempre tienen la suerte de ser relatadas como en verdad ocurrieron las cosas. Yo creo, con toda seguridad, que Caín fue un gran hombre, y que la historia que hicieron a su alrededor, fue porque muchos le tenían miedo. Probablemente todo empezó como un rumor, como un chisme; lo único auténtico era el estigma que Caín y sus hijos tenían, algo que los hacía distintos a los demás.

Mi interés y asombro iban aumentando a medida que Demian hablaba más y más.

—¿Entonces es una mentira el asesinato de Abel? —pregunté asustado.

—¡Por supuesto que no! Probablemente eso fue verdad. El más fuerte pasó sobre el más frágil. Ahora bien, lo que sí pongo en duda es que ellos fueran hermanos, pero este hecho no tiene la más mínima importancia, porque, al fin y al cabo, todos los hombres somos hermanos ¿no es cierto? Así pues, el fuerte mató al débil. Si fue o no un acto de heroísmo, lo ignoro. El caso es que los débiles comenzaron a sentir miedo de los fuertes y empezaron a crear historias y quejas para poder contestar al que les preguntaba "¿por qué no lo asesinan?", "no podemos hacerlo, porque él está marcado en la frente por Dios", en vez de decir "no lo asesinamos porque somos cobardes". Este es el comienzo de esta falsedad, pero ya no quiero quitarte más el tiempo. ¡Adiós amigo!

Caminó unos pasos y se perdió en la esquina de Altagasse. Yo me quedé tan solo y sorprendido por lo escuchado como nunca lo había estado. Apenas Demian se marchó, pensé que todo lo que me había dicho era lo más extraordinario del mundo. ¡Abel era un hombre cobarde y Caín era uno valeroso! Y la marca de Caín era una distinción. Todo esto era una blasfemia ilógica, pero ¿Dios dónde se encontraba?, ¿no había aceptado el sacrificio de Abel?, ¿quizá no lo quería? ¡Boberías! En ese instante comencé a sospechar de todo lo que me había hablado Demian, pues tal vez él, siendo tan listo y tan brillante, solamente había querido burlarse de mí e intentaba avergonzarme frente a todos. Yo sabía que Demian era inteligente y que su forma de hablar era casi perfecta, no obstante, todo lo que me había contado no podía ser.

Nunca, cualquiera que fuera la verdad, había reflexionando tanto sobre la historia de algo, se tratara o no de la Biblia. Es más, nunca nada me había hecho olvidar, aunque fuera durante toda una tarde, mi situación esclavizante con Kromer. Cuando llegué a mi casa comencé a leer la Biblia y todo era claro y exacto en referencia a la historia de Abel y Caín. Pensaba que era en vano buscar otra respuesta o interpretación al tema. ¡Cualquier malhechor podría autonombrarse escogido de Dios! ¡Esto era una verdadera locura! Quizá Demian tenía una habilidad muy especial para decir las cosas de una manera tan natural, y sobre todo, ¡con una mirada única!

Fuera lo que fuera, en mí había un auténtico desorden. Yo había vivido en un mundo transparente y nítido; era, de algún modo, igual a Abel, y ahora, estaba sumergido en el mundo prohibido. Había caído tan bajo y, no obstante, no todo había sido culpa mía. ¿Qué fue lo que ocurrió? En ese momento vino a mi mente un recuerdo que casi paraliza mi corazón. Esa lúgubre tarde, cuando comenzó mi martirio, había ocurrido eso mismo con mi padre. Por un instante sentí que le arranqué la máscara a mi padre y comencé a sentir rencor y desprecio hacia él, hacia su aspecto y hacia su mundo. Me sentí igual que Caín, con un estigma en mi frente que me hacía una persona privilegiada, superior a mi padre, a la gente buena y a la compasiva; esto, gracias a la malignidad y a la perversidad que expresaba en ese instante.

En ese momento, este pensamiento y sentimiento no fue claro y exacto, pero lo saboreaba, lo presentía, lo sentía; esa marea de sentimientos e impulsos característicos me dañaban, pero, al mismo tiempo, hacían que me enorgulleciera de mí mismo.

¡Realmente era peculiar la manera en que Demian hablaba de los cobardes y de los valientes! ¡Qué modo tan particular de interpretar la señal en la frente de Caín! ¡Era sorprendente el brillo en la mirada de Demian, esa mirada que pertenecía a un adulto y no a un muchacho! Repentinamente pensé en una idea confusa: ¿Acaso sería Demian una especie de Caín? ¿Por qué, si no se está identificado con él, defender a un personaje? ¿Qué era lo que le daba ese poder en su mirada? ¿Cuál era la razón que lo hacía hablar de manera despectiva de los "otros", de los compasivos y temerosos que, realidad, eran los elegidos de Dios?

Todos estos asuntos no me condujeron a ninguna parte. Mi espíritu joven era como un pozo de agua en el cual cayó una roca. La historia de Caín, del homicidio y la señal en la frente marcaron durante mucho tiempo mis intentos de aprendizaje, de críticas y de dudas.

Lo mismo que yo, muchos de mis compañeros en la escuela sentían igual respeto e intriga por Demian. Y a pesar de que de mi boca nunca salió ningún comentario sobre la historia de Caín, muchos compañeros se interesaban en nuestro nuevo "amigo", de una u otra forma. Tal vez por ello, entre los alumnos surgieron muchas historias con respecto a Demian. Si tuviera una excelente memoria para recordarlos a todos, cada uno podría aportar importantes cualidades o características de Demian; cada uno de ellos tendría su propia idea con respecto a él. Lo que sí se quedó en mi mente perfectamente fue que la madre de Demian era una mujer millonaria. Igualmente, se decía incesantemente que ni Demian ni su madre nunca asistían a la iglesia. Entre algunos personajes de la escuela se comentaba que esta familia era judía, mahometana y, a veces, hasta se llegó a decir que estaban vinculados con ritos muy peligrosos y raros.

Otra cosa que interesaba mucho a la gente que estaba alrededor de Demian era el comentar acerca de su asombrosa fuerza física. Él era el más fuerte entre todos los estudiantes de su clase, y de la escuela entera. En una oportunidad, Demian fue retado por otro chico a una pelea; cuando el pleito empezó, Demian tomó la nuca del adversario con una de sus manos y lo hizo llorar y pedir misericordia; una vez que hizo esto, lo humilló delante de todos cuando le gritó que era un cobarde. Después de esta pelea, se corrió la voz de que el perdedor no había logrado mover los brazos durante varios días; inclusive, después de algunos días, muchos llegaron a pensar que el chico había fallecido. Esto se creyó firmemente hasta que el derrotado compañero volvió a la escuela. Era muy extraño para los demás todo lo que decía Demian y lo que lo rodeaba. Un tiempo, no muy largo, la escuela dejó de hablar sobre Demian, hasta que se comenzó a correr la información de que nuestro enigmático compañero tenía relaciones con señoritas un poco indecentes y que, en referencia a las relaciones con las damas, él lo sabía "absolutamente todo".

Al tiempo que esto sucedía en el colegio, mi eterna esclavitud con Franz Kromer continuaba. Y a pesar de que en varias ocasiones dejaba de molestarme durante días y semanas enteras, me hacían sentirme atado a él de por vida el simple hecho de recordar mi deuda perpetua, así como su silbido. En mis pensamientos y sueños Kromer se encontraba junto a mí como si fuese mi sombra, como yo siempre he soñado mucho, me transformé en su esclavo en la realidad y en mis fantasías. Soñaba todo el tiempo que Kromer abusaba de mí y me lastimaba, me hacía arrodillarme frente a él, me escupía, y lo que es peor es que, debido al inmenso poder que ejercía sobre mí, me forzaba a participar en crueles actividades y crímenes. El peor de los sueños que nunca tuve por esos días fue cuando desperté mojado en sudor y con mi corazón latiendo veloz y desenfrenadamente; Kromer afilaba un enorme cuchillo y lo colocaba en mis manos, ordenándome que matara a mi propio padre. Nos escondíamos detrás de unos arbustos y esperábamos a que pasara por ahí un transeúnte para asaltarlo y asesinarlo; cuando veíamos que una sombra se aproximaba, Kromer me apretaba el brazo y me arrojaba hacia la persona para atacarla; al darme cuenta de que esa persona era mi padre, despertaba de inmediato sobresaltado.

Constantemente, en medio de toda esta locura, pensaba en la historia de Caín y Abel, sin embargo, ya no tanto en Demian. En uno de mis sueños, curiosamente, apareció Demian, solamente que en esta ocasión él estaba ocupando el lugar de Kromer, maltratándome y abusando de mí. Lo realmente increíble de este sueño era que, mientras Kromer estaba en mis sueños, sufría y me angustiaba excesivamente, pero cuando era Demian el que me hacía sufrir, lo hacía de una forma placentera y a gusto. Este tipo de sueños lo tuve nada más en dos o tres ocasiones, después, volví a los sueños con Kromer.

Ya me es muy difícil poder distinguir entre mis experiencias reales y oníricas. Lo que sí puedo recordar muy bien es que mi relación con Kromer continuaba igual, y no finalizó cuando, con base en hurtos pequeños y trabajo culminé la deuda que tenía con él, pues ahora él sabía perfectamente que yo había cometido una innumerable cantidad de delitos —continuamente me preguntaba de dónde había sacado el dinero— y me tenía en sus garras. Fueron muchas las veces en que me aterrorizaba amenazándome con contarle a mi padre sobre las faltas que había cometido, y yo, con el miedo de que él lo supiera, prefería continuar por el sendero del mal aunque esto me ocasionara un inmenso sufrimiento. De cualquier modo, y a pesar del enorme rencor hacia mí, no terminaba de lamentar todo eso, o por lo menos no todo el tiempo, porque llegué a pensar que las cosas debían ser de esa manera, y que pesaba sobre mi alma una gran deuda que era inútil pagar.

Sabía que a mis padres los hacía sufrir mi extraño padecer. Mi cuerpo estaba ocupado por un espíritu maligno, ya no era parte del mundo bueno de ellos, a ese mundo al que estuve tan cercano y al que ahora miraba como un paraíso distante. El trato que mi madre tenía conmigo era como si yo me encontrara enfermo y no el que debería de tener con una persona maligna; no obstante, mis hermanas eran las que me hacían sentir realmente lo que yo era, ellas eran muy afectuosas, pero dejaban todo el tiempo en claro que estaba poseído, que era más fácil tenerme lástima que recriminarme mi mal comportamiento. Tenía muy claro que ellas rezaban por mí de una forma diferente. En varias oportunidades sentí la urgente necesidad de confesarme, pero creía que no se lo podría decir ni explicar a mis padres, pues ellos solo me escucharían y me consolarían con compasión y afecto, pero nunca comprenderían en realidad lo que ocurría. Probablemente ellos me considerarían una oveja extraviada del rebaño, cuando realmente todo era una verdadera fatalidad.

Tal vez puedas pensar que un muchacho de casi once años no puede sentir y expresar todo esto. Pero mi relato no lo escribo para los pequeños, lo hago para todos aquellos que entienden mucho mejor a las personas. El adulto, que ha aprendido a cambiar parte de sus sentimientos en ideas, extraña a estos en el niño y piensa que tampoco las experiencias han existido Yo te digo que nunca en mi vida he sentido nada tan profundo como todo lo que te he narrado hasta ahora.

Mi "amo" me citó en la plaza del Castillo una tarde de lluvia. Cuando llegué ahí, jugué con el lodo que se formaba con la tierra de la plaza y la lluvia. Yo no tenía en ese momento ni un solo centavo, pero tenía dos grandes pedazos de pastel que había apartado en mi casa, por si acaso Franz Kromer me pedía algo. Para mí ya era una costumbre el esperarlo en cualquier esquina, y, sin poner ninguna resistencia, me resignaba a ello.

Cuando finalmente apareció Kromer, en su comportamiento había algo raro. Llegó y me golpeó levemente en el estómago, me hizo bromas, aceptó el pastel de buen agrado y hasta me ofreció un cigarro que había robado de la tienda. Indudablemente rechacé su ofrecimiento, pero su buen trato y amabilidad me sorprendieron.

Cuando se apartó me dijo:

—Escucha, la próxima vez que nos encontremos, ¿podrías traer a tu hermana?, a la mayor. ¿Cuál es su nombre?

No comprendía totalmente lo que me decía Kromer. Frente a la idea de llevar a mi hermana a un encuentro con este individuo quedé paralizado.

—¿Qué te sucede? ¿No entendiste lo que te dije? ¡La próxima vez me tienes que traer a tu hermana mayor!

—Kromer, eso que me pides no es posible; además, no creo que ella quiera venir conmigo.

Creí que su nueva orden era solo para hacer mi existencia más miserable, pues continuamente reía y era dichoso mirándome desesperado por sus increíbles peticiones. Al final, y después de verme sufrir, me proponía un trato nuevo para no llevara a cabo sus amenazas, haciendo de esa manera más grande mi ya de por sí perpetua deuda con él.

Sin embargo, en esta ocasión parecía ser distinto, pues mis negativas a su petición no lo hicieron molestarse como era lo habitual.

—Está bien, muchacho —dijo—. Ya vas a tener tiempo para pensarlo. Me encantaría conocer a tu hermana. Pero no va a faltar la oportunidad de hacerlo; tal vez un día que salgas con ella a pasear yo puedo aparecer ante ustedes de manera casual. Bueno, en fin, para ello ya nos pondremos de acuerdo.

Al observar que Franz se alejaba, empecé a comprender lo que planeaba este tipo. Yo era un niño, pero ya había escuchado que los hombres y mujeres mayores pueden hacer cosas misteriosas, prohibidas e indecentes a espaldas de sus padres. Este monstruoso requerimiento de Kromer había rebasado cualquier límite imaginable, de manera que me decidí a nunca prestarme para que algo malo ocurriera. No obstante, me daba miedo pensar lo que podría suceder y la forma en que Kromer se iba a vengar de mí.

Atormentado y hundido en mi nuevo problema atravesé la plaza con mis manos en los bolsillos. ¡Nueva esclavitud y nuevas angustias!

Mientras caminaba sin rumbo fijo, una voz fuerte pronunció mi nombre. Cuando lo escuché, no me atrevía a darme la vuelta y comencé a correr rápidamente. Escuché que una persona estaba corriendo detrás de mí y sentí que una mano me tocaba en la espalda. Me giré y me di cuenta de que era Max Demian. Me paré y, agitado e inseguro, le dije:

—¿Eres tú? ¡Tremendo susto que me diste!

Me miró con sensatez y profundamente, como lo hacen las personas adultas. Ya había pasado mucho tiempo desde nuestra conversación.

—Disculpa —me dijo con sus impecables modales—. Pero no tienes por qué asustarte de ese modo.

—Es que hay ocasiones en las que no puedes evitarlo.

—Estás en lo cierto, tienes razón. Pero si te asustas de esa manera frente a alguien que no te ha hecho nada, probablemente esa persona podrá comenzar a imaginar cosas. Inicialmente, dirá que eres un asustadizo, y eso solamente sucede cuando tienes miedo. Los cobardes siempre tienen miedo y yo, realmente, no creo que tú seas un cobarde ¿o sí lo eres?... Tampoco creo que seas un héroe. Pueden haber cosas que te atemoricen, pero hombres que te inspiren temor, eso no debe ser. Nunca hay que tenerles miedo a los hombres. O dime, ¿me tienes miedo a mí?

—Por supuesto que no, a ti no te tengo miedo.

—¿Te das cuenta? Pero sí hay personas a las que les tienes miedo, ¿no es cierto?

—No... lo... sé... Bueno, pero ¿qué deseas de mí?

Demian seguía a mi lado a pesar de que mis pasos eran cada vez más rápidos. Me ponía nervioso, porque sus ojos se clavaban en mí.

—Imagina que me caes bien —siguió—. No tienes por qué temerme, pero me encantaría probar contigo algo sumamente divertido, es un juego del cual vas a aprender algo... Mira, a mí me gusta practicar un enigmático arte que consiste en leer el pensamiento de las otras personas. No creas que es algo malo o brujería, pero si no sabes hacerlo bien, los resultados son muy extraños. Lo quiero probar contigo. Ya te dije que me caes bien, y me encantaría mucho saber qué es lo que está pasando por tu mente. Cuando te asusté, yo ya di el primer paso; percibí que eres asustadizo. Con ello, me he dado cuenta de que hay cosas y hombres a los que les tienes miedo. ¿Por qué? Ya te dije que no debes tener miedos ni temores hacia nadie, pues si lo haces de esa manera, esa persona tendrá siempre poder sobre ti. Te daré un ejemplo, si hacemos algo malo y alguien se entera, él tendrá poder sobre nosotros. ¿Comprendes lo que te estoy diciendo?

Lo miré sin parpadear. Su cara expresaba inteligencia y superioridad, pero al mismo tiempo era bondadoso e inflexible. Realmente no supe qué responderle. Pensé que el más grande de todos los magos se encontraba frente a mí.

—¿Entendiste todo lo que te dije? —volvió a preguntar.

Moví mi cabeza con un gesto de afirmación, pues de mi boca no podía salir ningún sonido.

—Como te dije anteriormente —prosiguió—, esto de leer la mente es muy raro, pero en el fondo es algo muy sencillo. Te podría decir claramente lo que pensaste de mí cuando te hablé de lo que pensaba sobre la historia de Caín y Abel, pero eso nada tiene que ver con lo que te sucede en este momento. Es más, estoy completamente seguro de que he aparecido en algunos de tus sueños. Pero eso tampoco importa ahora. Eres un muchacho muy listo. ¡Todos los que nos rodean son tan estúpidos! Es muy grato hablar con personas inteligentes de vez en cuando, y sobre todo, poder contar con ellos para todo, ¿no piensas que es así?

—Por supuesto que sí. Pero no comprendo...

—Mira, volvamos al experimento. Ya sabemos que el chico "X" es miedoso; le tiene temor a alguien con el cual, probablemente, comparte un gran secreto que es un poco desagradable. ¿Hasta aquí voy bien o no?

La sensación me ahogaba, al igual que en mis sueños. Nuevamente moví mi cabeza con un ademán afirmativo. ¿Acaso sabría algo de mi vida?, ¿por qué de su boca salían cosas que solamente yo sabía?, ¿por qué sentía que él tenía una visión más clara y exacta de lo que me ocurría?

Con la palma de su mano, Demian golpeó mi hombro fuertemente.

—¡Muy bien, eso es!, acerté ¿verdad? Ya lo sabía. Bueno, ahora me encantaría preguntarte algo más, ¿cómo se llama el muchacho que hace rato te dejó en la plaza?

Un temblor permanente se adueñó de mí. Mi pecado, mi secreto estaba a punto de salir y yo no deseaba hacerlo.

—¿De qué muchacho me estás hablando? Yo me encontraba solo en la plaza. Tal vez te confundiste.

Mi respuesta provocó una inmensa carcajada a Demian.

—Dímelo ya —dijo entre risas—. ¿Cómo se llama ese chico?

—Ah, ese chico. Está bien, su nombre es Franz Kromer —susurré.

Demian movió su cabeza y me acarició el cabello con amabilidad.

—¡Muy bien! Eres un muchacho muy noble. Seremos excelentes amigos. Ahora bien, déjame decirte que ese muchacho Kromer, o como quiera que se llame, no es confiable. En su cara se puede leer con mucha facilidad que es un vividor y un vago. ¿Qué opinas de él?

—¡Por supuesto que sí! —suspiré—. Es malo y aterrador. ¡Es el mismo diablo! ¡Pero que nunca lo sepa! ¡Por Dios, que jamás se entere! ¿Acaso lo conoces?

—No, no sientas temor por eso. Él ya se fue y no te escuchó, además, yo nunca lo había visto en mi vida y él tampoco me conoce... al menos no hasta ahora. A mí me gustaría mucho conocerlo. ¿Va a la escuela?

—Sí.

—Y ¿en qué clase está?

—Está en el quinto grado. ¡Pero te ruego que no le digas nada! Por favor, no le digas ni una sola palabra, te lo pido por nuestra nueva amistad.

—Amigo, cálmate, no te ocurrirá nada. Probablemente ya no tendrás deseos de decirme nada más con respecto a Kromer ¿no es cierto?

—¡No, ya no! ¡Déjame en paz, por favor!

Por unos segundos, Demian permaneció en silencio y tranquilo junto a mí. Después, continuó hablando.

—Discúlpame. Hubiéramos podido avanzar un poco más con el experimento, pero no me gustaría angustiarte. Con lo que hablamos, ya te habrás dado cuenta de que ese temor que sientes no es nada bueno para ti ¿verdad? Si un miedo que llevamos dentro nos va destrozando, hay que destruirlo. Si quieres algún día llegar a ser un auténtico hombre. Tu deber es desterrarlo de tu alma, ¿entiendes?

—Por supuesto que sí. Sé que tienes toda la razón en lo que dices... pero eso no es posible. Tú no te imaginas...

—Tú has notado que yo sé mucha cosas que tú creías que nadie sabía ¿no es cierto? ¿Le debes dinero a este chico?

—Sí, pero eso no es lo más grave. Yo... ¡No puedo decírtelo! ¡Realmente no te puedo contar nada más!

—¿Te ayudaría en algo si yo te diera el dinero que le debes? De ser así, yo encantado te daría ese dinero.

—No, tampoco se trata de eso. Y nunca comentes con nadie esto, por favor. ¡Nunca le digas a nadie una sola palabra de esto!

—Sinclair, confía en mí. Algún día me dirás todos tus secretos.

—¡Jamás! ¡Nunca! —le grité a Demian con violencia.

—Muy bien, como tú lo desees. Solo te digo que, con el tiempo, quizá te abrirás y espontáneamente me contarás cosas que te angustian, o ¿acaso piensas que yo soy otro Kromer que te va a esclavizar y a chantajear?

—¡Por supuesto que no! Pero por ahora, no sabes nada...

—Ciertamente, no sé nada. Puedo pensar en lo que en realidad ocurre, pero de algo debes estar seguro, yo nunca haré algo como lo que ha hecho Kromer. Por lo demás, a mí no me debes absolutamente nada.

Nos invadió el silencio, y lentamente la serenidad volvió a aparecer en mí. Sin embargo, me era más y más misterioso cada vez todo lo que sabía Demian.

—Tengo que volver a mi casa —dijo Demian al tiempo que se arreglaba su abrigo—, pero antes quisiera comentarte algo. Ahora que somos amigos y que llegamos a este punto, espero que logres librarte de este vago. Si no hay ninguna forma de hacerlo, mátalo. Personalmente me gustaría que lo hicieras; es más, te admiraría mucho. Y puedes contar conmigo, si llegaras a necesitar ayuda.

Nuevamente, el miedo volvía a hacerme su presa. La historia de Caín volvió con más fuerza a mi cabeza. Todo comenzaba a ponerse cada vez peor. Eran demasiados los misterios alrededor de mí.

—Muy bien, es hora de que vuelvas a casa —me dijo Demian—. Todo saldrá perfecto; recuerda que lo más simple sería eliminarlo, y en estos casos lo más simple es siempre lo mejor. Con Kromer estás en peligro.

Cuando finalmente llegué a casa, daba la impresión de que me hubiera alejado de ella durante años. Su imagen era muy distinta. Ahora mi situación con Kromer tenía una esperanza, un futuro, y lo más importante de todo es que ¡ya no estaba solo en mi batalla! En ese instante me di cuenta de lo terriblemente abandonado que había estado con mi sufrimiento. De inmediato volvieron a mí los pensamientos sobre una confesión ante mis padres, pero esto no solucionaría todo completamente. La confesión, o por lo menos una parte de todo lo que ocurría, ya la había efectuado ante una persona extraña, y el sentimiento de libertad me comenzaba a embriagar con su fragancia.

De cualquier modo, mis miedos tardaron muchos años más en desvanecerse. Sabía perfectamente que todavía tendría que tener prolongadas y difíciles explicaciones con mi adversario. Mi asombro fue mayúsculo al darme cuenta que todo pasaba de forma oculta, silenciosa y serenamente.

A partir de ese momento, el silbido de Kromer ya no era tan terrorífico. Me negaba a creer lo que sentía y estaba alerta a la espera de cualquier cambio, pues no quería que esa serenidad que sentía se esfumara y, nuevamente, todo lo malo me tomara por sorpresa. ¡Pero esto nunca pasó! Temeroso de disfrutar mi nueva situación de libertad, no creía que realmente existiera. Esta incertidumbre me daba vueltas hasta que un buen día me encontré con Kromer, mi enemigo. Estaba caminando por la calle Seilergasse cuando prácticamente chocamos entre las personas. Kromer se puso nervioso cuando se dio cuenta de que era yo, giró la cara y aceleró el paso, como si no quisiera que yo lo mirara.

Ese instante fue esplendoroso. ¡El enemigo huyó de mí! ¡Ese aterrador demonio que tanto me torturaba, ahora me tenía miedo a mí! La alegría y la sorpresa me embriagaron y me hicieron el muchacho más dichoso.

Unos días más tarde, hablé nuevamente con Demian, quien me estaba esperando en la puerta principal de la escuela.

—¡Hola! —le dije alegremente.

—Buenos días Sinclair. Quería saber cómo te encontrabas. Creo que ahora Kromer ya no te molesta ¿no es cierto?

—Y tú tienes algo que ver con ello ¿verdad? Pero, ¿cómo pudiste lograr que me dejara tranquilo? No comprendo qué fue lo que hiciste. Ahora ya no me molesta.

—Me encanta por ti amigo. Y si algún día te molesta nuevamente, solamente dile que recuerde a Demian. Realmente no creo que vuelva, pero con esa clase de gente nunca se sabe.

—Pero, ¿qué hiciste? ¿Acaso peleaste con él?, ¿lo golpeaste?

—No, yo no soy aficionado a los golpes. Solamente hablé con él de la misma forma en que lo hice contigo; eso bastó para que comprendiera que era preferible que te dejara en paz.

—¿No lo sobornaste con dinero, verdad?

—No, amigo, eso ya lo hiciste tú y no dio resultado.

Demian se apartó de mí, a pesar de que yo aun tenía la duda de lo que había ocurrido entre ellos. Una vez más, este joven me había provocado un sentimiento de recelo y admiración, de rechazo y de simpatía.

Pensé en encontrarme con él pronto y tratar de retomar de nuevo la historia de Caín, nunca conseguí hacerlo.

Para mí el agradecimiento es una virtud a la que no le tengo fe, y pienso que es una equivocación exigirla a un niño, de manera que no me asombra la enorme ingratitud que demostré a Max Demian. En la actualidad creo que si Demian no me hubiera sacado de las garras de Kromer, yo hubiera salido de ellas muy maltrecho y corrompido para toda mi vida. Por ello, la liberación que sentía en esos años, fue el suceso más extraordinario y magnífico de mi infancia, pero a mi salvador, a mi libertador, lo hice a un lado en cuanto culminó su obra.

Como te lo he contado, no me asombra la ingratitud que mostré, pero lo que sí me sorprende es la ausencia de curiosidad que tuve en ese instante. ¿Por qué cada día continuaba viviendo con tranquilidad sin intentar aproximarme a los enigmas que mi amigo Demian me había mostrado? ¿Por qué había sido reprimido por mí el deseo de escuchar más sobre Caín, sobre Kromer y la lectura de la mente?

No lo podía comprender, pero así era. Después que me vi libre de ataduras diabólicas, volví a contemplar ese mundo claro, limpio y bueno que tanto ansiaba cuando me encontraba sumergido en un mundo opresivo. El pánico había finalizado; ya no me encontraba condenado a torturas ni a aterradores sueños; nuevamente era un estudiante común y corriente. Mi temperamento me exigía volver lo antes posible a lo que sentía perdido, al equilibrio, a la calma, y me obligaba a trabajar el doble para olvidar los horrores del mundo prohibido. El sufrimiento interminable que viví y las brumosas noches que pasé escaparon velozmente de mi memoria sin dejar, aparentemente, ninguna clase de resaca en mí.

Hoy también entiendo el hecho de haber olvidado rápidamente a mi salvador. Las lágrimas que cada noche me condenaban, y mi esclavitud y servilismo ante Kromer hicieron que yo huyera de todo lo que me recordara algo de mi sufrimiento y castigo; de manera que lo más sencillo era cobijarme en un mundo donde me mimaban, me amaban, donde mis padres y hermanas solamente me decían palabras nobles y hermosas; volvía de nuevo a ese mundo puro y lleno de gracia del Dios de Abel.

El mismo día en que conversé brevemente con Demian, ese día que quedé completamente libre, hice lo que en tantas ocasiones pensé era lo correcto y lo más acertado: me confesé. Hablé con mi madre y le enseñé la alcancía rota; le mostré que no contenía monedas, sino fichas de juego. Intenté explicarle rápidamente que un vago me estuvo martirizando por algún tiempo. Mi madre no comprendía todo lo que le estaba diciendo, pero al mirar mi ojos distintos y al escuchar mi voz igual que antes, sintió que finalmente su pequeño niño estaba curado y volvía al hogar de nuevo.

Celebré enormemente esa noche mi vuelta al mundo que tanto ansiaba. Mi madre me llevó con mi padre y le confesé todo otra vez. Ahora hubo preguntas y respuestas, además de exclamaciones de sorpresa. Sin embargo, mis padres acariciaron mi cabeza como antes, todo era perfecto, como en las historias que mi madre me contaba antes de dormir, todo se resolvía de la mejor forma para todos.

La armonía se respiraba en cada rincón de mi casa; me refugié en ella vehementemente. No me cansaba ni me llenaba todo lo que nuevamente me rodeaba; la tranquilidad y la confianza de mis padres. Volví a ser ese niño virtuoso, honrado, y que nuevamente intervenía de manera activa de las oraciones y los cantos nocturnos en el hogar. Me sentía igual que un hombre al cual le acababan de perdonar todos sus pecados.

A pesar de toda esta maravilla, sentía que las cosas no estaban totalmente en orden. Y tal vez aquí esté la respuesta de mi falta de gratitud hacia Demian. ¡A mi salvador le debí hacer la confesión! Probablemente no hubiera sido tan decorativa como lo fue con mis padres, pero por lo menos hubiera sido mucho más productiva. En ese instante me era posible arraigarme fuertemente de nuevo a mi mundo perdido; había vuelto y había sido aceptado otra vez. Pero Demian no entraba en ese mundo. Y de forma muy distinta, Demian era un corruptor, igual que Kromer. Los dos estaban arraigados al mundo prohibido del cual yo no quería saber nada jamás. Definitivamente, prefería quedarme con Abel y no colaborar con la glorificación de Caín. Lo correcto era estar con Abel, y yo lo estaba.

Hasta aquí, lo que sentía por fuera. No obstante, por dentro había cambiado considerablemente. Era libre de las diabólicas garras de Kromer, pero no fue gracias a mí. Traté de andar por los senderos de un mundo que resultó ser sumamente difícil. Me ayudó un amigo y, sin pensarlo, corrí a refugiarme en las faldas de mi madre, en el seguro redil de una puerilidad compasiva y resignada. Volví a ser más dependiente y más chiquillo que antes. Tal vez me vi forzado a sustituir la dependencia de Kromer por otra nueva, pues sabía que no era capaz de caminar solo por el mundo. Mi corazón escogió ciegamente a mis padres, al mundo perfecto y bueno, a pesar de que sabía perfectamente que no era el único. Si no lo hubiera hecho de esa forma, hubiera escogido a Demian como mi confesor. Pensé que sus raros pensamientos me habían conducido a hacerlo con mis padres y no con él, pero en el fondo sabía que no era otra cosa más que el temor. Y sabía muy bien que mi amigo Demian me hubiera exigido mucho más de lo que mis padres lo hicieron; hubiera tratado de hacerme más independiente con burlas y sarcasmos, con estímulos y alientos. Eso lo sé muy bien, y no existe nada que angustie más a un hombre que seguir el sendero que lo lleve a encontrarse consigo mismo.

Sin embargo, después de seis meses, no pude soportar más las ganas de preguntar a mi padre, mientras paseábamos, ¿por qué había gente que pensaba que Caín era mejor que Abel?

El asombro invadió a mi padre y me comentó que esa interpretación era muy antigua, que procedía de los inicios del cristianismo. Me dijo que esa enseñanza se había difundido en algunas sectas, una de las cuales tenía el nombre de "cainitas". Evidentemente todo eso era solo una intervención demoniaca que intentaba destruir la fe de los cristianos. Y es que si esto fuera verdad, hubiera resultado que Dios había errado, y el Dios del que nos hablan en la Biblia, no sería el único, sino uno mentiroso y deleznable. Esa fue la explicación de mi padre con respecto a los "cainitas". Sin embargo, esa herejía, como él le decía, se había evaporado hacía muchos años, y le tomaba por sorpresa que un compañero del colegio supiera lo que era eso. De cualquier forma, me recomendó no pensar más en ello y olvidar el tema por completo.

Y EL MAL LADRÓN

Dentro de mi niñez también hubo cosas hermosas, amables y delicadas, aunque pueda parecer lo contrario. Podría mencionar, por ejemplo, la paz que reinaba en mi casa, el afecto que todos sentían por mí, la vida bella y sencilla que me rodeaba y el ambiente cálido y lleno de cariño que me envolvía siempre. Pero lo verdaderamente importante es relatar los pasos que me condujeron a ser lo que soy. Cualquier instante hermoso y agradable es una simple isla y paraíso que nunca deseo volver a pisar.

Y ahora que recuerdo mis años como un adolescente, no nombraré nada que no me haya ayudado a deshacerme de las ataduras que con tanta firmeza tenía y a salir adelante.

Continuamente, a mí llegaban cosas del mundo prohibido cargadas de violencia, arrepentimiento y temores. Su llegada siempre intempestiva ponía en constante peligro la tranquilidad en la que yo hubiera querido permanecer por siempre.

Así llegaron los años en donde me tuve que dar cuenta de que el mundo perfecto, luminoso y bueno debía esconderse para dejar pasar mi natural instinto. Cuando el sexo apareció en mi vida, al igual que cualquier hombre, también apareció el enemigo perverso y tenebroso, lo pecaminoso, la tentación y lo prohibido. La curiosidad y la necesidad de este nuevo sentimiento: placer y pecado —el inmenso enigma de la adolescencia—, no tenía cabida en el mundo materno, en mi casa y en la tranquilidad infantil. De manera que hice lo que la mayoría siempre hace: viví una doble vida en la que era un pequeño de casa, y también, la de un muchacho que busca respuestas a escondidas de este mundo hermoso. Mi conciencia continuaba aferrada a la familia y a lo bueno, negando las perspectivas de un nuevo mundo al tiempo que vivía en mis sueños, en los instintos y deseos escondidos, los cuales eran la base de esa existencia consciente; cada vez eran más débiles los puentes que había fabricado mientras pasaba por este trance, y dentro de mí, el mundo del niño se iba desmoronando. Mis padres, al igual que la mayoría, nunca fueron de gran ayuda en el despertar de mi sexualidad, ya que en la casa, en mi mundo, nunca se hablaba de ese asunto. Lo que sí hacían, y de una forma muy eficaz, era reforzar mis esfuerzos desesperados por negar algo tan auténtico y a continuar actuando en un mundo de niños del cual ya no formaba parte, y el que, con el paso de cada día, se hacía más falso e irreal. No sé si la labor de un padre o de una madre pueda ayudar en este respecto, y por ello, no recrimino nada a los míos. Finalizar con esta fase y lograr hallar el camino correcto era algo que solamente me competía a mí; desdichadamente, mi comportamiento no fue el correcto, al igual que sucede con todos los chiquillos de buena familia que llegan a esta encrucijada.

Durante su existencia, cualquier hombre pasa por esta difícil situación; para los que son parte de la mayoría de la comunidad, aquí es donde nace la más enorme oposición entre el avance de sí mismo en la vida y el mundo que lo rodea; es ahí justamente donde se hace más penoso el camino que nos conduce hacia adelante. Miles son los que sienten la muerte y el renacimiento, que en realidad es nuestro destino; ese instante es donde el mundo de la niñez se rompe como una bola de cristal, llevando dentro de él lo que amamos, nuestro bienestar y nuestra seguridad, dejándonos abandonados y solos frente a la frialdad del universo que nos rodea.

Bien, volvamos ahora a nuestra historia. Los sentimientos y sueños que me anunciaron el final de mi infancia no tienen la más mínima importancia para contarlos en este instante. Solo lo que vale la pena decir es que había vuelto a mi vida el mundo prohibido, el mundo pecaminoso y oculto. Lo que en alguna oportunidad había visto en mi enemigo Franz Kromer, ahora se encontraba en mí. Esto hizo que, desde afuera, el mundo prohibido me volviera a tener entre sus garras.

Ya habían transcurrido varios años desde que tuve mi experiencia con Kromer. Esos sombríos y turbulentos años se veían tan distantes que parecían una pesadilla. Kromer se había esfumado de mi vida para siempre, y cuando alguna vez coincidíamos en el mercado o en la calle, ya no sentía nada. Sin embargo, a diferencia de esto, la figura principal de mi desventura, Max Demian, nunca había dejado de estar presente en mi existencia. Y no importaba que estuvimos demasiado tiempo alejados y al margen, él siempre estuvo visible y presente en mi vida. Y cuando llegué a estos años, él se fue aproximando lentamente, haciéndome sentir su poder e influencia nuevamente.

Intento recordar todo lo referente a Demian por esos años. Tal vez el hecho de no charlar con él por más de un año, y solamente saludarlo de lejos me hace no recordar con precisión cómo volvió a mi vida. Una vez lo vi a lo lejos burlándose y riéndose sarcásticamente de mí, bueno, eso creí yo, pero no pasó a más. La gran influencia y ayuda que Demian me dio en mis años de niñez parecían olvidados por las dos partes.

Sin embargo, ahora que recuerdo su figura, la veo en cada instante significativo de ese tiempo y entonces yo no me daba cuenta de ello. Lo recuerdo asistiendo a la escuela, lo recuerdo enigmático, solitario y callado como un planeta grandioso rodeado de estrellas pequeñas y que solamente obedece a sus propias leyes. Realmente nadie sentía simpatía por él; nadie intentaba acercarse a él y hacer amistad. Con la única que siempre hablaba era con su madre, pero incluso sus relaciones no parecían las de una madre y su hijo, sino las de dos adultos. Todos los maestros intentaban no molestarlo, pues aunque era muy buen alumno, nunca trató de agradar a nadie a través de tretas o acciones comunes. Igualmente, de vez en cuando a nuestros oídos llegaban algunas réplicas o contestaciones llenas de sarcasmo que Demian hacía a los profesores que lo fastidiaban.

Al cerrar los ojos, aparece la imagen de este personaje muy nítida y clara. ¿Dónde se encontrará actualmente? Por supuesto, ahora lo recuerdo. Frente a mi casa, en la calle. Estaba dibujando en un pequeño trozo de papel el escudo que colgaba de mi portón; el escudo del pájaro. Yo me encontraba parado en mi ventana, escondido detrás de las cortinas y observando a Demian con detenimiento. Su cara, igual a la de una persona adulta, no dejaba de mirar el escudo del pájaro; en cada una de sus expresiones era claro y frío; parecía un investigador, que calcula con los ojos llenos de experiencia.

Recuerdo haberlo visto en otra ocasión. Algún tiempo después de encontrarlo dibujando fuera de mi casa, lo vi saliendo de la escuela y estaba, junto a otros chicos, rodeando un caballo que se había caído. El animal estaba enredado en las varas de un carro, respiraba lenta y dolorosamente; daba la impresión de que sus ojos dilatados pedían auxilio y la sangre comenzaba a pintar el suelo en el cual yacía. Cuando aparté mis ojos de ese espantoso cuadro, pude observar la cara de Demian. Se encontraba en un segundo plano de la escena con su aire elegante y sereno de siempre. Su mirada no se apartaba de la cabeza del caballo moribundo, toda su atención la tenía fija en los ojos del caballo, pero no demostraba ningún sentimiento. Yo no podía retirar la mirada de Demian, pues en mi subconsciente sentía algo muy raro y especial.

Cuando observé con detenimiento a Demian, noté que su cara era la de un hombre maduro; igualmente, sentí como que algo se había transformado en él, algo era distinto en Demian. Al continuar observando su cara, aprecié la de una mujer; ya no era una cara viril o de niño, joven o adulto, era una cara que reflejaba sabiduría mística y milenaria. De alguna manera, sentí como que esa cara había sido sellada por diversas edades a las que nosotros vivimos. En ocasiones, las estrellas, los animales y los árboles tienen esa expresión. En ese momento yo no tenía conocimiento de ello, y a pesar de que ahora como adulto lo puedo expresar con claridad, en ese instante mis sentimientos me indicaban lo mismo. Tal vez era atractivo, y no sabía si me agradaba o lo aborrecía; tampoco eso está muy claro en mí.

Mi memoria no me dice nada más de él, y probablemente algo de lo que he dicho se origine en posteriores impresiones.

Pasaron muchos años antes de que volviera tener una relación cercana con él. Al igual que sus demás compañeros en el colegio, Demian no había recibido la confirmación. Este suceso fue el inicio de nuevos y diversos rumores en referencia a él. Se dijo nuevamente que era judío o pagano; que él y su madre eran integrantes de una secta peligrosa y prohibida y que no tenían ninguna religión.

En lo que se refiere a este punto, creo que escuché por ahí que Demian vivía en concubinato con su propia madre, y que lo más probable era que su educación hubiera estado alejada de toda confesión, hasta que finalmente ella tomó la decisión, por el bien de su hijo, de confirmarlo al igual que los otros. Así, Demian fue confirmado dos años después que sus compañeros. Fue, durante varios meses, mi compañero en el aula donde se nos daba la clase preparatoria para la confirmación.

Intenté mantenerme alejado de Demian por un tiempo. Los rumores y enigmas que rodeaban a este chico me obligaban a ello; no obstante, mi inmensa deuda con él y el hecho de que me salvó de mi esclavitud hacia Kromer, era lo que realmente me hacía estar apartado de él. Además, por ese tiempo, yo estaba sumamente ocupado intentando solucionar mis propios secretos. Así, la clase preparatoria para la confirmación coincidió con la aclaración definitiva de los inconvenientes sexuales. Y a pesar de mi buena voluntad, el interés en los temas religiosos era opacado por mi inmenso deseo de conocer profundamente todo lo referente al sexo. Todo lo que escuchaba de los maestros religiosos estaba tan fuera de mi cabeza que, a pesar de que sabía de la belleza y de lo importante que eran para mi porvenir, esas enseñanzas no me eran interesantes o de actualidad. Por ahora, mi preocupación tenía un alto grado y no era exactamente algo vinculado con Dios, sino con el mundo oscuro y prohibido.

Esto hizo que sintiera indiferencia y despreocupación por estas clases, acrecentando mi interés por Demian. Todo indicaba que nos teníamos que unir de nuevo. Trataré de explicar paso a paso cómo sucedió. Todo comenzó en la primera clase. El profesor de Religión llegó para hablarnos sobre la historia de Caín y Abel sin que yo me diera cuenta de ello. Yo estaba todavía medio dormido, de manera que no presté atención a las palabras del profesor. Repentinamente, el párroco alzó la voz y comenzó a detallar con mucha emoción el tema de la marca en la frente de Caín. Fue en ese instante cuando sentí que algo me estaba llamando o me indicaba lo que debía de hacer. Alcé la mirada y busqué a Demian. Él estaba sentado en las primeras filas, pero al mirarlo, su cabeza giró hacia mí y, con una sonrisa entre seria y burlona, me miró fijamente a los ojos. Y aunque esa mirada fue por solo unos pocos segundos, de inmediato puse toda mi atención en la cátedra del maestro. Escuché cada palabra sobre la señal en la frente de Caín, y sentí que todo lo que escuchaba no era cierto, pues pensaba que la interpretación podría ser muy distinta.

Fue ahí, en ese instante y en esa aula, cuando nuevamente quedé unido con mucha fuerza a Demian.

Y curiosamente, apenas surgió nuevamente en mi corazón esa sensación de unión con Demian, me di cuenta de que él también había sentido lo mismo. Por esa época yo creía mucho en las casualidades, de manera que al darme cuenta de que Demian, por obra del destino, cambiaba su lugar en la clase de religión y tomaba asiento justo delante de mí comencé a creer que esto era lo correcto. Y dentro de ese ambiente de hospicio que se respiraba diariamente en la escuela, era sumamente agradable percibir la fragancia a jabón que despedía el cuello de Demian. Dos días después, Demian se cambió nuevamente de asiento, en esta ocasión ocuparía el pupitre que estaba junto a mí. Durante el invierno y la primavera no abandonó este lugar.

Las clases matinales ahora eran muy distintas, dejaron de ser monótonas y aburridas; es más, no podía esperar a que llegara el amanecer para ir al colegio y tomar asiento al lado de Demian. En muchas ocasiones escuchábamos con atención al párroco y una mirada de Demian era suficiente para que me enfocara en una historia distinta, en una frase rara, y otra mirada bastaba para despertar mi duda y crítica en referencia a lo que estaba escuchando.

Igualmente, también actuábamos como malos estudiantes, no haciendo caso alguno a lo que decía el maestro. Frente a los maestros y condiscípulos, Demian era muy sensato. Nunca se comportaba tontamente como cualquier alumno; nunca se reía, hablaba o provocaba que algún maestro lo regañara frente a los otros. Él, con señas y miradas y voz baja, sabía cómo despertar en mí las ideas que tenía él en la cabeza. Entre nosotros eran muy constantes esta clase de travesuras.

Un día, me comentó quienes eran los compañeros que más le interesaban y la forma en que los analizaba. A unos los conocía muy bien. Una vez me dijo antes de entrar a clase:

—Fulano o Mengano se girará a mirarnos o se rascará el cuello cuando te haga esta señal con el dedo pulgar...

Ya durante la clase, cuando casi no recordaba lo que Demian me había dicho antes, me daba cuenta de que me hacía la señal con su dedo, me giraba a mirar al compañero y, ciertamente, hacía lo que Demian me había comentado. Intenté convencer a Demian que hiciera lo mismo con el maestro, pero él no aceptó. Sin embargo, en una ocasión llegué a clase y le dije que no pude estudiar nada de lo que nos indicaron el día anterior, de manera que esperaba que el maestro no me interrogara. Cuando estábamos en el salón de clases, los ojos del párroco recorrieron a todos sus alumnos mientras decía que alguno de nosotros tenía que recitar un fragmento del catecismo. Sus ojos se detuvieron en mí. Conforme se iba aproximando a mí, una cosa muy rara le ocurrió al maestro. Su boca estaba a punto de decir mi nombre, pero se puso intranquilo y nervioso, comenzó a tirar del cuello de su camisa blanca y a entretenerse. En ese instante Demian se le aproximó y, sin parpadear, parecía que quería hacerle una pregunta. Pocos minutos después, el maestro tosió varias veces y eligió a otro alumno para rezar el catecismo.

Conforme transcurrían los días y las bromas que Demian les jugaba a los otros, me comencé a dar cuenta de que yo también era parte de ese juego. En muchas ocasiones, camino a la escuela, sentía que Demian me estaba siguiendo, y al girarme rápidamente, ciertamente, ahí estaba la figura de mi amigo.

—¿Realmente puedes hacer que alguien piense lo que tú deseas? —le pregunté.

—No —dijo—; eso no es posible. Aunque el párroco diga lo contrario, nadie tiene libre voluntad. Nadie puede pensar lo que desea, ni conseguir que otra persona haga lo que él desea. Lo que sí se puede hacer, es mirar a alguien detenidamente; por lo general, con el tiempo puedes llegar a decir con exactitud lo que piensa o siente, logrando saber y predecir lo que va a hacer en ese instante. Es sencillo, pero la mayor parte de las personas no sabe cómo hacerlo. Evidentemente, esto lleva algo de práctica y paciencia. Dentro de las mariposas, por ejemplo, podemos encontrarnos con una especie nocturna en la que las hembras, en cantidad, son menos que los machos. Estas mariposas se reproducen de la misma forma que los otros insectos: el macho fecunda a la hembra, quien después coloca los huevos. Ahora, si logras atrapar una mariposa hembra y la separas de su hábitat, por la noche, los machos, para fecundar a su mariposa hembra, son capaces de volar kilómetros enteros. Los machos son capaces de sentir, ¡a kilómetros de distancia!, la presencia de una mariposa hembra. No es posible de explicar este fenómeno, comprobado de forma científica. Tal vez sea un sentido del olfato o algo parecido, igual que ocurre con los perros de caza que consiguen seguir un rastro casi imperceptible. ¿Te das cuenta?, la naturaleza está llena de esta clase de fenómenos inexplicables. Lo que yo pienso, es que si existiera mayor cantidad de mariposas hembras, los machos no tendrían esta cualidad. Si cuentan con ella es porque se han visto forzados a ejercitarla y a hacerla más fina para conseguir un objetivo específico. Ese es el misterio. Y lo mismo sucede con lo que tú mencionas. Observa con detenimiento a ese caballero y conocerás más cosas de él, que lo que él mismo conoce.

En ese instante estuve a punto de decir "adivinación de pensamiento" y de traer de nuevo la historia de Kromer. Sin embargo, con respecto a ese tema, algo muy curioso sucedía entre nosotros, pues nunca decíamos nada al respecto, aunque sabíamos muy bien que ese hecho había marcado mi vida. Daba la impresión de que jamás habíamos estado involucrados en nada juntos o de que cada uno de nosotros había olvidado completamente lo ocurrido. Un par de veces nos tropezamos con Franz Kromer en la calle, pero ni en esos instantes hablamos o mencionamos nada al respecto.

—¿Y de la voluntad qué me dices? —pregunté a Demian—. Dices que tenemos libre albedrío, pero también señalas que alguien solamente tiene que concentrar su voluntad en algo para lograrlo. Eso es contradictorio. Si yo no soy quien ordena y manda en mi voluntad, no la podré concentrar de forma libre para alcanzar mis objetivos.

Me dio una palmadita en la espalda, como lo hacía cuando decía algo que le agradaba.

—¡Muy bien, eso es! —exclamó sonriendo—. Debes preguntar siempre, jamás te quedes con la duda. Lo que preguntas es muy sencillo. Continuando con el ejemplo de las mariposas, si una de ellas se concentra sobre una estrella o algo parecido, no la podría conseguir; por ello, no pierde el tiempo en eso. Siempre buscará lo que realmente tiene algo de valor o sentido para ella; buscará algo que le sea necesario o vital. Es por eso que, desarrollando un sentido extra que ningún otro animal posee, hace algo tan extraordinario. Las personas tienen un campo de acción mucho más extenso e interesante que el de los animales. Desgraciadamente, nos encontramos en un círculo tan ínfimo que no podemos abandonar. Yo tengo la habilidad de ambicionar cualquier cosa o de crear fantasías; por ejemplo, no sería imposible que fuera al Polo Norte ¿no es cierto?, pero solamente lo puedo llevar a cabo si en realidad el deseo tiene fuertes raíces en mí, si en realidad todo mi ser lo anhela. Cuando esto sucede, si intentas algo que tu propio ser interior te está ordenando, probablemente conseguirás alcanzar tu objetivo. Ahora bien, si trato que nuestro maestro no use gafas otra vez, voy a fracasar, pues solamente se trata de un juego. Pero cuando realmente deseé que en el otoño me cambiaran de sitio lo logré con facilidad. Un día se presentó un muchacho que había estado enfermo y que su nombre comenzaba con una letra anterior al mío. Como alguien tenía que hacerle un sitio al frente, me tomaron en cuenta a mí, y cuando finalmente volvió a clases, a mí me enviaron al sitio que ocupo ahora, a tu lado.

—Estás en lo cierto —dije asombrado—. Todo eso del cambio de puesto a mí también me hizo sentir algo muy raro. Desde el instante en que nos fuimos interesando el uno por el otro, te fuiste aproximando a mí lentamente. Pero, ¿cómo lograste hacerlo? Inicialmente no conseguiste llegar junto a mí sino que estabas en frente. ¿Cómo conseguiste que te cambiaran al lado mío?

—Bueno, cuando comencé a sentir deseos de cambiar de lugar, no tenía idea del sitio que quería. Sabía que deseaba ir para atrás, solo eso. Mi voluntad era reunirme contigo de nuevo, pero todavía no era consciente de ello. Y mientras esto ocurría, tu voluntad me llamó, y cuando finalmente estuve al frente tuyo, supe que mi anhelo estaba cumplido a medias, y de que todo lo que había hecho era solamente para estar a tu lado.

—Muy bien, pero cuando ya te encontrabas frente a mí, no vino nadie nuevo a clase, ¿cómo conseguiste sentarte justamente a mi lado?

—Sencillamente llegué temprano y me senté junto a ti; da la impresión de que al muchacho que ocupaba ese sitio no le molestó, de manera que no hice nada especial para ello. El párroco fue el que se dio cuenta del cambio; sabe perfectamente que me llamo Demian y que la D no debe estar sentada con la S, pero esta situación no llega a su consciencia porque mi voluntad no se lo permite. Cuando nos ve juntos en a clase, él sabe que hay algo extraño y comienza a pensar en ello, pero yo hago algo tan simple como mirarlo fijamente a los ojos. Son pocas las personas que aguantan la mirada y que no comienzan a ponerse nerviosas. Si tú deseas algo de otra persona, mírala repentinamente y con firmeza a los ojos; si no consigues mirar un poco de nerviosismo o intranquilidad en esa persona, no conseguirás lo que quieres. En mi experiencia personal, solo he conocido una persona que no ha respondido a mi técnica.

—¿Quién?, dime, por favor —pregunté frenéticamente.

Demian se giró a mirarme con unos ojos reflexivos, intensos; giró el rostro hacia otro lado sin pronunciar una palabra, y pese a mi enorme curiosidad, no tuve valor para preguntarle otra vez de quién se trataba.

Sin embargo, estoy casi seguro de que era su madre esa persona que soportaba la intensa mirada de Demian. Parecía que ellos compartían un lazo emocional y espiritual muy fuerte. Jamás habló de ella frente a mí, y mucho menos me invitó a conocer su casa. De manera que eran demasiado imprecisas las referencias que yo tenía de su madre.

Por esa época, trataba de imitar a mi "maestro". En muchas ocasiones concentré mi voluntad en algún deseo para tratar de obtenerlo. Para mí, todos ellos eran deseos de primera necesidad, pero desgraciadamente, nunca conseguí nada serio. A lo mejor por ello, nunca tuve el valor de comentar a Demian con respecto a mis intentos fallidos por obtener algo, así como él nunca me preguntó nada sobre ello.

En lo que respecta a mis creencias religiosas, estas empezaban a parecerme débiles y faltas de credibilidad a medida que pasaba más tiempo con Demian. Sin embargo, mi capacidad mental progresaba extraordinariamente en comparación con los demás compañeros de clase. La mayoría de ellos continuaba creyendo en Dios y en teorías tan increíbles e infantiles como la de la Inmaculada Concepción y la de la Santa Trinidad, en las cuales, desde mi punto de vista en ese instante, solamente podían creer personas poco pensantes o ignorantes. Yo ya dejé de creer en ellas. E incluso cuando hubiera tenido algo de duda respecto al tema, sabía muy bien hasta dónde llevaba una existencia piadosa y hermosa, como en mi hogar, y al cual seguía respetando. Y a pesar de continuar participando en los actos religiosos, Demian me había enseñado a interpretar y considerar de otra forma las historias y dogmas; pensaba con más libertad cualquier cosa que leía en la Biblia a raíz de mi amistad con Demian. Yo siempre seguí las interpretaciones de forma serena, a pesar de que en ocasiones me parecieran tan pésimamente interpretadas como el relato de Caín. Y mientras recibíamos nuestras clases preparatorias para la confirmación, el párroco habló sobre la historia del Gólgota, un pasaje más audaz todavía y que despertó una gran intriga en mí. El relato bíblico de la Pasión y Muerte de Jesucristo causó en mí una enorme impresión desde niño; todos los viernes santos, mi padre siempre leía la historia de la Pasión y a mí me emocionaba mucho solo el pensar vivir en ese mundo dolorosamente hermoso del Gólgota y de Getsemaní; me parecía un universo lleno de muerte y tan vivo al mismo tiempo, y mucho más cuando escuchaba la pasión según San Mateo. Ese misterioso mundo me estremecía profundamente. Inclusive actualmente, este pasaje de la Biblia despierta en mí algunos sentimientos contradictorios.

Demian me dijo de manera reflexiva, cuando culminó la cátedra del párroco:

—Hay algo que no me termina de agradar, Sinclair: lee otra vez detenidamente la historia de la Pasión y te darás cuenta de que hay algo que no tiene sentido. Fíjate en los ladrones. ¡La imagen de las tres cruces en la colina es fabulosa! ¿Por qué nos vienen con el relato sentimentalista del ladrón bueno? Si en el transcurso de toda su vida fue un vil ladrón, y solamente Dios sabe cuántas fechorías más haya llevado a cabo, ahora se presenta con lágrimas en los ojos, totalmente arrepentido y doliéndose de lo que hizo. ¿Qué importancia tiene que una persona así se arrepienta precisamente antes de fallecer? Solo es una dulce y falsa anécdota enmarcada en una hermosa escena bíblica. Si se te diera la oportunidad de elegir a un amigo entre dos ladrones, a uno al que le tienes que entregar toda tu confianza, probablemente no escogerías al que llora y se arrepiente ¿no es cierto? Vas a elegir, al fuerte, al que tiene carácter. Él no cambia de ideas ni se arrepiente; continúa adelante por el camino que ha elegido y acepta las recompensas y castigos que este le ha entregado. Y en el último momento, frente al mismo demonio, permanece firme en sus ideales. Te puedo aseverar que él también desciende de Caín ¿no lo crees así?

La cabeza me daba vueltas a mucha velocidad. Pensaba que el relato de la Pasión me era muy cercana desde mi infancia, pero en este momento descubría que mi visión era demasiado limitada, con poca personalidad y sin imaginación. Sin embargo, la visión de Demian ante este hecho no me sonaba bien del todo, porque amenazaba conceptos que estaba obligado a proteger. No, no era posible jugar de esa forma con cualquier cosa que escuchara, incluso las cosas más venerables.

Igual que otras veces, y antes de que yo pronunciara una sola palabra, Demian se dio cuenta de que me resistía a creerle.

—Sí, sé muy bien lo que me dirás —dijo serenamente—. ¡Uno siempre se paraliza con lo mismo! Pero te diré una cosa: esta es una de las partes en la que se pueden ver con claridad todas las equivocaciones de nuestra religión. Indiscutiblemente, el Dios del Antiguo y del Nuevo Testamento es una figura maravillosa, grandiosa, pero eso no es precisamente lo que debe representar. Es lo paternal, lo hermoso, lo bueno, lo noble y también lo elevado y lo sentimental, ¿verdad? Pero en el mundo nos podemos encontrar con cosas muy diferentes a eso, las cuales, siempre se le adjudican al diablo. Si esto es de esa manera, se está descartando la mitad de lo que existe en nuestro mundo. Se ha glorificado siempre a Dios como Padre de toda existencia, y no obstante, se esconde la sexualidad que está vinculada con el pecado, y que es el auténtico origen de la vida misma. Comprende que no estoy en contra de la veneración de Dios. ¡Para nada! Pero pienso que deberíamos venerar y santificar al mundo entero y no únicamente a la mitad de él, a esa parte oficial y correcta que se encuentra en la Biblia. Pienso que igual que se alaba la mitad buena de Dios, también se le debería rendir culto a esa otra mitad, que se dice, pertenece al demonio. Considero que eso sería lo correcto. Y si esto no es de esa manera, deberíamos crear un Dios que pudiera unir lo bueno y lo malo, y frente al cual no deberíamos cerrar los ojos ante hechos tan fundamentales y tan naturales para el ser humano.

Muy contrario a su forma de ser, Demian se emocionó mucho cuando me dijo lo anterior.

Sin embargo, rápidamente recobró su semblante normal y sereno.

Lo que dijo me causó una enorme herida en mis pensamientos y sentimientos que, desde muy niño, me acompañaban a cada hora, a cada minuto, y que jamás me había atrevido a compartir con nadie. Las palabras de Demian con respecto a Dios y el Demonio, sobre el mundo que se aceptaba y el que no, ya estaban en mi mente, solo que para mí siempre fueron dos mundos distintos, uno bueno y uno malo. El descubrir que mi problema, ese que no le había dicho nunca a nadie, también era el mismo para los otros, apareció frente a mí como una divina sombra, pues pude darme cuenta de que mis sentimientos, pensamientos e ideas estaban dentro de la corriente eterna de las grandiosas ideas de cualquier otro ser humano. No fue agradable descubrir esto, aunque sí muy alentador y reconfortante. Era muy duro saberlo, porque ello implicaba soledad, responsabilidad y un adiós definitivo a los años como pequeño de casa.

Después que salió de mí por primera vez mi enorme secreto, compartí mi idea de ambos mundos a Demian, y él se dio cuenta cómo de inmediato se reflejaban las ideas y pensamientos de los dos. Sin embargo, nunca se aprovechó de ello, al contrario, me escuchó con atención, me miró fijamente a los ojos, hasta que me vi forzado a ocultar la mirada ante su casi animal instinto de dominio y poder.

—Bueno, ya vamos a tener más tiempo para conversar sobre esto —interrumpió Demian—, me di cuenta de que tu pensamiento es mucho más extenso que tus palabras, pero también pude notar que nunca has vivido tus pensamientos por completo; eso está muy mal; solamente tiene valor el pensamiento vivido. Por ahora, lo único que sabes realmente es que tu mundo bueno era únicamente la mitad de tu mundo completo, y has intentado limitar o apartar la otra mitad del mundo, de la misma forma que lo hacen los sacerdotes y los maestros. ¡Eso no será para siempre! Cuando alguien comienza a pensar, jamás se mantiene exclusivamente en esa mitad del mundo.

Las palabras de Demian retumbaban con mucha fuerza en todo mi cuerpo.

—Sin embargo —grité desesperado—, no puedes negar que realmente existen cosas repulsivas e ilícitas, que esas cosas están prohibidas para nosotros y que debemos renunciar a ellas. Estoy plenamente consciente de la existencia de vicios y crímenes, pero el simple hecho de que se encuentren en el mundo, no significa que yo seré un vicioso o un criminal.

—No es posible que en una sola conversación podamos aclarar todos esos puntos —dijo Demian serenamente—. Por supuesto que nadie te está diciendo que asesines, violes o mates a mujeres o a niños. Sin embargo, te falta llegar a un punto donde podrás ver con claridad lo que realmente quiere decir "permitido"; por ahora solo tienes una parte de la verdad en tus manos. ¡Pronto vas a tener toda la verdad en tus manos! Por el momento, y desde hace aproximadamente un año, llevas dentro de ti un instinto mucho más poderoso que el de todos los demás, lo cual no está permitido en ese mundo bueno que tú conoces.

—Por ejemplo, los griegos —siguió Demian—, han venerado y divinizado este instinto. Piensa que lo que conocemos en este momento como "prohibido", puede ser algo aceptado y normal mañana. Te pongo otro ejemplo, cualquiera se puede acostar con una mujer si antes fue con un cura y contrajo matrimonio con ella, pero en otras partes no se hace de esa manera. Por esa razón es que cada uno de nosotros debe buscar lo que está "permitido" y lo que está "prohibido" en referencia a sí mismo. Se puede dar la situación de que alguien nunca haga algo "prohibido" y, a pesar de ello, ser un auténtico rufián, y viceversa. Si un ser humano no piensa y no consigue ser su propio juez, siempre se someterá a las "prohibiciones" que aparezcan en su senda; eso es lo más sencillo. Pero también hay personas que sienten la ley en sí mismos; ellos hacen cosas que las personas honorables no harían o que tienen "prohibidas", y dejarían de hacer cosas autorizadas por el mundo correcto. Eso se encuentra dentro de cada uno de los seres humanos.

Demian hizo una breve pausa y parecía haberse arrepentido de haber charlado tanto conmigo. Por mi parte, yo comprendí por qué repentinamente guardaba silencio. Demian, a pesar de que estaba habituado a comentar sus ideas en una conversación amable, no era de los que charlaban por charlar. De manera que se daba cuenta de que yo estaba realmente interesado en sus palabras; también en mí existía un cierto placer por la conversación intelectual; en otras palabras, faltaba la seriedad absoluta.

Y cuando vuelvo a la última línea del párrafo anterior, leo nuevamente "seriedad absoluta", lo cual me conduce a otro pasaje que compartí con Demian en ese tiempo post niñez y que me marcaron hondamente.

Se aproximaba el día de nuestra confirmación y el párroco nos habló sobre la Última Cena. Sumergido en la importancia de este hecho histórico, el maestro cuidó al máximo cada detalle y expresión del mismo, consiguiendo que la clase tuviera una clara atmósfera de recogida devoción. Sin embargo, mi pensamiento estaba en otro sitio: en Demian. Esperando la confirmación, que no era otra cosa que el recibimiento de la comunidad religiosa, incesantemente pensaba en el valor real y auténtico de esos seis meses. Consideraba que todo lo aprendido se lo debía a la influencia de Demian y no a la clase. Sentía que no iba a ser acogido en la Iglesia, sino en algo muy distinto, y mucho más complejo. Pensaba que llegaría a una nueva orden de la personalidad y del pensamiento que existía en el mundo y cuyo representante o enviado era Demian.

Intenté apartar esa idea, pues, pese a todo, quería vivir y sentir al máximo mi confirmación con seriedad y dignamente, aunque esta no fuera compatible con mi forma de pensar. Todo fue inútil; el pensamiento nunca me abandonó y paulatinamente se fue mezclando con la ceremonia religiosa. Mi propósito era celebrarla de forma distinta a la de los otros. Yo, a diferencia de todos mis compañeros, entraría en un mundo lleno de ideas nuevas que me había mostrado Demian.

Antes de la ceremonia religiosa, discutimos otra vez apasionadamente sobre algún tema. Demian se mantuvo alejado y molesto unos instantes debido a mis fuertes y vanidosas palabras.

—Estamos hablando demasiado —dijo con seriedad—. Las frases ingeniosas no tienen el más mínimo valor y solo consiguen distanciarte de ti mismo. Hay que saber compenetrarse en sí mismo, igual como lo hacen las tortugas.

Instantes después, entramos en el aula. Comenzó la clase e intenté poner atención a la misma sin que Demian ni nada me perturbara. No obstante, en unos pocos minutos, sentí como me invadía una espantosa sensación de frialdad y de vacío, que provenía del sitio en donde se sentaba Demian. Esta sensación se hacía tan inaguantable que, finalmente, dirigí mi mirada hacia él.

Demian se encontraba sentado muy callado y recto, igual que siempre. Sin embargo, su aspecto no era el mismo de siempre. Nunca había visto a mi amigo así. Por un instante creí que tenía los ojos cerrados, pero noté que no era así, los tenía abiertos, pero no miraban. Sus ojos se dirigían hacia adentro, hacia una remota distancia. Demian estaba sentado totalmente inmóvil, daba la impresión de que ni siquiera respiraba; era como estatua de piedra. Su cara estaba totalmente pálida y lo único que todavía parecía tener vida en él eran sus negros cabellos. Sus manos finas reposaban en el pupitre como objetos inanimados, aunque se mostraban firmes y como envolviendo algo lleno de una vida escondida.

Esa escena hizo que me estremeciera. ¡Murió!, llegué a pensar y estuve a punto de pedir auxilio, pero sabía muy bien que Demian todavía estaba vivo. Intranquilo, pero fascinado al mismo tiempo por ese espectáculo, no dejé de mirarlo ni un solo segundo. Contemplé con detenimiento su rostro y miré una pétrea y lívida máscara, y pensé que lo que se encontraba junto a mí era el auténtico Demian. El Demian que charlaba y me hacía pensar era únicamente una parte de él, ya muy común para mí. Pero el que tenía frente a mí en este momento era nuevo y enigmático. Ese Demian era ancestral, animal, hermoso, muerto, frío y, al mismo tiempo, lleno de una fabulosa vida. ¡Y solamente lo rodeaba el silencio, la solitaria muerte, los espacios siderales, el éter!

Temblando, noté que Demian se había alejado de todo para encontrarse en sí mismo. Nunca yo había estado tan solo. Me faltaba su presencia, me era indispensable y se encontraba a una distancia de miles de kilómetros.

En la cabeza no me cabía cómo era posible que solamente yo me diera cuenta de lo que sucedía. ¡Todos debían notarlo y temblar ante ese hecho! Desgraciadamente, nadie se fijó en Demian. Su aspecto rígido, como el de un ídolo, no se vio perturbado por una mosca que estaba jugando en su nariz y después en sus labios.

¿A dónde se fue? ¿Qué estaba ocurriendo? ¿Qué estaba sintiendo? ¿Estaría en el infierno o en el cielo?

No le pude preguntar absolutamente nada de lo que pensaba. Cuando terminó la clase, finalmente pude ver como respiraba y vivía de nuevo. Se cruzaron nuestras miradas y pude notar que era el mismo de antes. ¿De qué enigmático lugar provenía Demian? Aunque el color había vuelto a su piel y sus manos tenían nuevamente ese gracioso movimiento, se veía agotado; sin embargo, su cabello oscuro ya no tenía ese brillo tan especial.

En los siguientes días traté de realizar un ejercicio en mi habitación. Me sentaba derecho e inmovilizaba los ojos; no movía uno solo de mis músculos y esperaba a ver qué tanto tiempo conseguía permanecer en esta posición, intentando indagar qué era lo que sentía. Con esto solo conseguí un parpadeo incontrolable y un tremendo cansancio.

Todo había cambiado días después de la confirmación, de la que no recuerdo mucho, además mi infancia se había evaporado ante mí. Ahora, mis padres me miraban con cierto embarazo y mis hermanas me llegaron a parecer extrañas. Un vago desencanto me ayudó a que se marcharan para siempre algunos de mis sentimientos y mis alegrías más frecuentes. El jardín parecía haber perdido ahora su acostumbrada fragancia, el bosque ya no tenía interés para mí, el mundo se presentaba como una cocina con sucios y viejos enseres, y la música era un simple ruido estridente, y los libros solo eran un puñado de hojas. Pienso que lo que sentía en ese instante es lo que un árbol siente en la época de otoño cuando mira como caen, una a una, las hojas de sus ramas; pero esto no indicaba mi muerte, sencillamente tenía que esperar de la misma forma en que lo hace el árbol.

Mis padres tomaron la decisión de que, después de las vacaciones, yo asistiría, por primera vez en mi vida, a otra escuela distante de la casa. En muchas ocasiones mi madre se me acercó con especial dulzura, intentando despedirse poco a poco. Probablemente, trataba de llenar mi corazón de recuerdos, nostalgias y de amor para que no me sintiera tan mal cuando me encontrara lejos de ellos y de mi casa. Realmente, en esos instantes solo me preocupaba que yo estaba solo, porque Demian se encontraba de viaje...

Beatriz

Después que finalizaron las vacaciones, mis padres fueron conmigo a la ciudad en la que a partir de ese momento estudiaría y viviría. Me internaron en una pensión para estudiantes con todos los consejos que se puedan imaginar. Este internado lo dirigía un profesor del Instituto. Mis padres se hubieran espantado de haber sabido a lo que me estaban exponiendo al dejarme en ese lugar.

Por mi cabeza solamente pasaba una permanente preocupación: ¿llegaría a ser algún día un buen ciudadano y un hijo ejemplar, o mi naturaleza me conduciría a realizar cosas espantosas? Había desperdiciado la última oportunidad que tuve de ser feliz en mi casa, bajo el cuidado de mis padres.

El inmenso vacío y soledad que estaba sintiendo en mi nuevo lugar de residencia después de la confirmación y las vacaciones, era algo que tardaría mucho tiempo en asimilar. Y realmente no me costó ningún trabajo despedirme de la casa, fue tan fácil hacerlo que hasta sentí algo de vergüenza por ello. Mis hermanas lloraban y yo no lo podía hacer. Me sorprendí de mi frialdad, pues yo siempre había sido un niño bueno y sentimental, y en este momento mi cambio era radical. Poco me interesaba el mundo exterior, y durante muchos días, solamente escuchaba los pensamientos sombríos y misteriosos que fluían de mi mente. Realmente, crecí mucho durante las vacaciones, tanto que ahora me presentaba al mundo como un joven alto, bastante delgado e inmaduro. En mí, a diferencia de muchos otros, no era fácil hallar el atractivo adolescente, algo que me preocupaba bastante, porque pensaba que nadie nunca se iba a enamorar de mí. A veces, el recuerdo de mi amigo Max Demian me ponía nostálgico, aunque no eran pocas las ocasiones que le echaba la culpa por mi terrible situación frente a la vida, que para mí era una enorme carga que tenía que llevar.

Inicialmente, en el internado nadie me aceptaba. Yo era el centro de bromas y juegos absurdos durante los primeros días ahí; después sencillamente me ignoraban y se apartaban de mí, porque decían que era un cobarde y un joven muy antipático. Me dolió tanto lo que ellos pensaban de mí, que en realidad me identifiqué con mi nueva imagen, hundiéndome en mi soledad todavía más. Sentía un enorme desprecio por todo lo que veía a mi alrededor, aunque en el fondo me desesperaba la nostalgia y la tristeza de estar lejos de todo lo mío. En referencia a la enseñanza recibida en el internado, los primeros días se enfocaron en reafirmar conocimientos ya adquiridos, porque parecía que ahí las clases iban mucho más atrasadas que las que había tenido en mi antigua ciudad. Este suceso provocó en mí un sentimiento despectivo ante los demás, pues aún los veía como niños.

Así transcurrieron 18 meses aproximadamente. No trajeron nada nuevo a mi vida las vacaciones en casa, de manera que volví más feliz de lo que imaginaba al internado.

Había adquirido la costumbre de dar largos paseos por los alrededores. Estos paseos me ayudaban a pensar en un millón de cosas y me daban una inmensa dicha llena de melancolía, de desprecio al mundo que me rodeaba y hasta a mí mismo. Miré la ancha vereda a través del parque desierto durante un paseo los primeros días de noviembre. Dicha vereda estaba cubierta con las flores que caían de los árboles viejos y que yo pisaba sin ninguna compasión. La fragancia era una encantadora mezcla de humedad y amargura, y los árboles distantes eran difíciles de ver, porque la niebla los escondía muy bien. Cuando llegué al final del camino me detuve vacilante, miré fijamente la negra hojarasca y aspiré ávidamente ese perfume declinante de vida marchita, sintiendo dentro de mí algo que saludaba y contestaba. En realidad, la vida no sabía a nada.

En ese instante, salió una figura de entre los arbustos que rodeaban el parque, y se dirigía a mí. Yo no hice mucho caso y comencé a caminar hasta que escuché:

—¡Espera Sinclair!

Cuando me giré para saber de quién se trataba, me di cuenta de que era Alfonso Beck, el chico más grande del internado. Me caía bien, me parecía agradable y no tenía nada que reclamarle realmente, claro, con la excepción de que todo el tiempo me trataba como un chiquillo, al igual que lo hacía con los otros internos. Su aspecto paternal y sarcástico combinaba perfectamente con su gran fuerza y tamaño. Muchos comentaban que Beck tenía sometido completamente al director del internado, cosa que lo convertía entre todos en un auténtico héroe.

—¿Qué estás haciendo por aquí? —dijo alegremente, mientras se aproximaba, con ese tono que utilizan los adultos para hablar con los niños—. Tal vez vienes aquí para inspirarte y escribir versos ¿verdad?

—¡Estás completamente loco! —le dije con brusquedad.

Sus estruendosas carcajadas retumbaron en cada árbol del parque y comenzó a caminar a mi lado. Su conversación me parecía rara, pues yo, llevaba tiempo sin hablar con nadie.

—Sinclair, yo te entiendo perfectamente. Es algo sumamente especial el pasear por este parque entre la niebla y sumergido en tus pensamientos ¿no es cierto? Por ello, no es extraño que se caiga en la tentación de escribir versos. Aquí puedes escribir, al igual que Heinrich Heine, sobre la juventud que se pierde o la naturaleza muerta que, a la larga, son lo mismo.

—Pero yo no soy tan sentimental —le respondí de nuevo secamente.

—Es igual. Lo que realmente debe hacer un hombre por estos días, es hallar un sitio caliente y agradable donde se pueda disfrutar de un delicioso vaso de vino o algo parecido. ¿Quieres acompañarme? Estoy solo. ¿No te gusta la idea? No desearía pervertirte muchacho, si es que tú eres de esos que no hacen nada malo.

Ambos, en poco tiempo, nos encontrábamos instalados en una cantina ubicada en los límites de la ciudad con dos vasos con vino de calidad dudosa. Inicialmente, me sentía un poco incómodo, pero al menos era algo nuevo para mí. En unos cuantos minutos, y bajo los efectos de la bebida, me sentía más libre hablando con mi compañero. El vino embriagante me había hecho sentir como si hubiera abierto una ventana por la que entraba el mundo lleno de luz y de colores. ¡Desde hace mucho tiempo mi alma no se desahogaba! Comencé a fanfarronear y, de pronto, saqué el relato de Abel y Caín.

Beck me escuchaba con mucha atención. ¡Al fin había conseguido a quién darle algo! A medida que avanzaba mi historia, solo sentía cómo golpeaba jovialmente mi hombro y me llamaba continuamente "muchacho del diablo". Esto me hacía totalmente dichoso y me daba más ánimos para continuar adelante charlando e informando todo lo que por tanto tiempo había reprimido; además era insuperable la grata sensación de ser reconocido por alguien y de valer frente a los ojos de alguien mayor. Cuando finalicé mi conversación, me dijo que era un muchacho fenomenal, algo que embriagó mi espíritu como el vino lo hizo con mi cuerpo. Finalmente, el mundo se llenaba de colores y luces, y las ideas me llegaban de diferentes formas, el fuego y el ingenio fluían en mí continuamente.

Hablamos sobre los maestros y los compañeros del internado y obtuvimos las mismas conclusiones. Los griegos y paganos también formaron parte de nuestra charla, pero lo que realmente interesaba a Beck, era si yo había tenido alguna aventura amorosa en mi pasado. Desgraciadamente, ese terreno nunca había sido pisado por mí; no había nada que hablar con respecto a ese tema. Y todo lo que guardaba celosamente de mis sueños, de mis fantasías y de mi existencia anterior era demasiado para sacarlo al calor de la amena conversación y del vino.

Beck, por su parte, tenía mucha experiencia con las mujeres, de manera que escuché con atención cada una de sus historias. Todo lo que para mí era increíble en este tema, aparecía ante mí como algo normal y real. A sus dieciocho años, Alfonso Beck ya tenía la experiencia. Por ejemplo, él sabía que las jóvenes solamente buscaban que las cortejaran y presumir de ello, aunque eso no era lo auténtico. Y que si en realidad se quería lograr algo, debía buscarse a mujeres casadas, porque ellas eran mucho más inteligentes que las muchachas. La señora Jaggelt, por ejemplo, que estaba encargada de la tienda de cuadernos y lápices, era una mujer con la cual cualquiera podía entenderse, y podrían ser publicadas en un libro las cosas que habían ocurrido en la parte trasera de su local.

Eran muy grandes la fascinación y la atracción sobre estas cosas, claro que este relato nunca provocaría que yo me enamorara de la señora Jaggelt, pero era muy interesante su historia. Eran tales las posibilidades —al menos para los muchachos mayores— que yo nunca las hubiera imaginado. Sin embargo, dentro de toda esa maravilla que se estaba abriendo ante mí, también se podía sentir algo de falsedad. Me sabía menos vulgar de lo que ahí se me planteaba lo que yo entendía como amor, a pesar de que la vida y la aventura eran una realidad. Y justamente frente a mí, sentado en una cantina, estaba alguien que lo había vivido y que le era muy normal.

La conversación cayó en un bache después de esto. Ya había dejado de ser ese endemoniado muchacho y volvía a ser el chico común y corriente que escucha a una persona mayor. No obstante, al momento de comparar mi vida anterior con lo que sentía ahora, esto era algo delicioso y paradisíaco.

Igualmente, lentamente me fui dando cuenta de que lo que hacía estaba prohibido; desde el estar en la cantina hasta nuestra entretenida charla. Tal vez ello hizo que saboreara con más intensidad el instante.

Recuerdo muy bien esa noche: ya muy tarde emprendimos la vuelta al internado. Los viejos faroles de las oscuras y mojadas calles de la ciudad eran lo único que nos señalaba el camino. Mi andar era torpe y lento, ¡estaba borracho por primera vez en mi vida! No era nada agradable, por el contrario, era una sensación muy molesta, pero en el fondo, esto era dulce y atractivo; era una verdadera rebelión, una orgía, el espíritu y la vida. Beck tuvo la amabilidad de llevarme casi cargado hasta el internado, al cual nos escabullimos por una ventana para que nadie nos pudiera descubrir.

Después de una breve e infernal noche de sueño, una inaudita tristeza me embargó al día siguiente. Sentado en mi cama, aun tenía puesta la camisa del día anterior; las botas y el pantalón estaban regados por todo el cuarto. La fragancia que se encerraba en esa habitación era a licor, tabaco y vómito, y en medio de una terrible resaca, de una sed abrasadora y de un espantoso dolor de cabeza, apareció ante mi espíritu una imagen evocada por mucho tiempo. Contemplé mi ciudad de nacimiento y el hogar donde había crecido; miré a mis padres, a mis hermanas, el hermoso jardín, mi cuarto perfectamente ordenado, la escuela y la Plaza Central; también pude mirar a Demian y a las clases de religión. Todo era hermoso e iluminado y ante mis ojos tenía un enorme resplandor. Hasta el día de ayer, la divinidad y pureza de todo lo que aparecía frente a mí había sido —y ahora me daba perfecta cuenta— mío. Y desde ese instante, todo se había hundido, ya todo lo había perdido para siempre, ya no era de mi propiedad, ya no era parte de eso y sentía repulsión por lo que había hecho, mi memoria se remontaba hasta los primeros años en que tuve conciencia y me daba cuenta del afecto, amor y ternura que mis padres siempre me demostraron, revivía cada mañana en que mi madre besaba candorosamente mi frente, cada navidad, y ahora, todo eso estaba destruido a mis pies y yo lo pisoteaba sin ningún respeto, estoy completamente seguro que si en ese instante se aproximaran a mí los verdugos y me llevaran a la horca por impío, probablemente no opondría ninguna resistencia, por el contrario, hubiera ido gustoso a mi muerte y la consideraría totalmente justa.

Eso era yo al final. ¡Yo, que menospreciaba a todos! ¡Yo, que me sentía superior en pensamientos a todo el mundo y que solamente los compartía con Demian! Eso era yo, un sucio borracho, repulsivo y grosero, una basura, escoria; me había transformado en una bestia salvaje controlada por sus bajos instintos. ¡Yo, que venía de un hogar donde todo era esperanza, armonía y paz; el que había disfrutado de bellas poesías y de la música de Bach! En mí aun provocaba repugnancia y asco esa risa mía, la de un ebrio, la risa imbécil que brotaba por cualquier cosa. En eso me había transformado.

Y para mí, a pesar de todo esto, era un auténtico placer sufrir todas estas quejas. Ya llevaba tanto tiempo deambulando a ciegas por la vida y sin que mi corazón vibrara por sentir algo verdaderamente intenso, que recibía gustosos esas recriminaciones y el pánico que sentía en lo más profundo de mi alma. Al menos se trataba de sentimientos apasionados que hacían que mi corazón latiera. En medio de toda esa miseria, y desconcertado, me sentí libre, como si llegara una nueva primavera.

Pero para cualquiera que me mirara sin saber qué sentía o pensaba, yo iba intempestivamente cuesta abajo. Esa primera borrachera no fue la última, porque dentro del internado existía una costumbre muy antigua de salir a parrandear continuamente a las cantinas. Yo era el más joven de todos dentro de ese "selecto" grupo que visitaba las cantinas, en poco tiempo me dejaron de ver como un niño que tenían que tolerar, y me transformé en un cabecilla, atrevido y conocido cliente de las cantinas. De nuevo ya me encontraba dentro de ese mundo prohibido del que salí una vez; ahora estaba en un sitio privilegiado dentro de él.

Yo me sentía mal frente a esta situación. Estaba viviendo en una permanente autodestrucción, y al tiempo que ante los ojos de los demás yo era parrandero, audaz y valiente, para mi alma solo era un ser condenado a la completa destrucción.

Aun está fresco en mi memoria el recuerdo de un domingo en que estaba saliendo de una cafetería y, cuando vi jugando inocentemente a unos chiquillos muy bien peinados y con sus ropas limpias, las lágrimas rodaron por mis mejillas. Y al tiempo que yo me entretenía alrededor de una mesa sucia llena de vasos con licor, espantando a mis compañeros con mi cinismo acostumbrado, en lo profundo de mi alma, aun sentía un inmenso respeto y afecto por todas esas cosas de las que me burlaba en estos momentos. Yo continuaba poniéndome de rodillas frente a la imagen de Dios, de mi hogar, de mis padres.

Y tenían una explicación mi dolor, mi soledad y la falta de identificación con mis nuevos amigos. Entre todos los compañeros, incluso entre los que presumían de ser los más fuertes, no era yo más que un muchacho perdido y cínico que solamente se burlaba, con singular audacia e ingenio, de la Iglesia, de los maestros, de la escuela y de la familia. Tenía también la particularidad de hacer mío cualquier chiste indecente u obsceno con singular habilidad. Lo único de lo que me abstenía de realizar con mis compañeros era ir en busca de mujeres. Sentía una inmensa soledad y un gran deseo de amor, un deseo tan enorme, que mis palabras no me podían sacar de ese laberinto intricado y oscuro. Siempre que veía caminar frente a mí a las damas arregladas, hermosas, alegres y con esa gracia femenina, las miraba como sueños imposibles, muy buenos y perfectos para un muchacho como yo.

Por algún tiempo, no pude entrar nunca a la papelería de la señora Jaggelt, pues el solo hecho de mirarla me subía los colores al rostro, ya que me acordaba de lo que mi amigo Beck me había dicho sobre ella.

Y a pesar de esta distancia y soledad que sentía con mis compañeros, jamás fui capaz de apartarme de ellos. No me es posible recordar en este momento si alguna vez hallé dicha o estímulos en esa existencia llena de brumas y de alcohol, pero recuerdo muy bien que jamás me habitué al vino hasta el punto de hacerme insensible a las difíciles molestias que venían después del exceso. Ya todo eso era como una obligación. Hacía siempre lo que yo consideraba que era lo correcto; de no ser de esa manera, no sé lo que realmente hubiera hecho conmigo mismo. Tenía un inmenso temor de los intensos arrebatos de dulzura, de amor y de timidez a los que volvía continuamente. Sobre todo, tenía un enorme temor de los pensamientos eróticos que tenía todos los días.

En ese tiempo, lo que más echaba en falta era la presencia de un auténtico amigo. De entre mis compañeros de juerga, había dos que no me eran desagradables del todo, pero los dos huían de mí continuamente. Ellos formaban parte de los muchachos buenos y en el internado ya no eran un secreto para nadie mis actitudes e inclinaciones. Todos me miraban como un joven perdido y bajo cuyos pies temblaba todo. Los maestros también conocían mis aventuras, es más, en varias oportunidades había sido reprendido fuertemente por mi comportamiento, y la expulsión definitiva de la institución era algo que ya se consideraba una realidad. Yo sabía todo eso, porque había dejado de ser un estudiante bueno, limitándome a no hacer más esfuerzos en las clases para mejorar. Ya no podía seguir mucho tiempo de esa manera.

El Señor tiene un sinfín de formas de conducirnos a la soledad y encontrarnos con nosotros mismos. Pienso que para mí, el camino que había tomado era el que Dios había escogido. Era una auténtica pesadilla. Me veía andar ansioso y sin anhelos ni ambiciones, igual que un hombre afectado por un mal sueño de noches de juerga, cigarrillos y vino, por un sendero feo y sucio, lleno de insectos y basura. Esto fue lo que me sucedió a mí. Así fue como aprendí a encontrarme solo y a construir una puerta celosamente vigilada por enormes guardianes entre mi niñez y mi situación actual. Esto fue el despertar, el comienzo de la nostalgia por ese ser humano que tanto conocía y que no reconocía en este momento: yo.

Aun recuerdo el gran susto que me llevé cuando vi a mi padre en el internado; él llegó sobresaltado por las cartas que el director le había mandado, pero cuando me visitó de nuevo en el invierno, me encontró con un gesto indiferente e inflexible ante sus reprimendas y recriminaciones, a sus ruegos de que cambiara e, incluso, al recuerdo de mi madre. Al final, su enfado fue tal, que me juró que si yo no cambiaba favorablemente, permitiría que me expulsaran del internado y me llevaría al reformatorio. ¡Bah, gran cosa! cuando se marchó, sentí tristeza por él. No había conseguido nada conmigo y tampoco había encontrado la forma de llegar a mí. Llegué a pensar por un momento que le estaba muy bien empleado.

Me tenía sin cuidado cualquier cosa que pudiera llegar a sucederme. Yo mantenía siempre, muy a mi manera —con juergas y licor—, mi pelea contra el mundo. Esa era una forma de expresar mi desprecio, pero también con eso me estaba destruyendo. Cuando me percataba de ello, planteaba lo siguiente: "Si el mundo no era capaz de utilizar a los hombres como yo, si ellos no tenían ningún papel o función relevante dentro de él, entonces nosotros debíamos tomar el sendero de la destrucción. Para el mundo".

En ese año la Navidad fue muy triste. Al llegar a casa, mi madre se asustó por lo que vio. Había crecido bastante y mi cara reflejaba en su tono gris, en cada gesto, en los rasgos cansados, mi forma de vida. Las gafas que había comenzado a usar apenas unos meses atrás, así como mi tímido bigote, me hacían un auténtico extraño ante los ojos de mi familia. Poco me importaron las risas burlonas de mis hermanas. Durante esas vacaciones navideñas todo fue penoso y profundamente amargo; la visita de los familiares, las conversaciones con mi padre en su despacho, pero sobre todo la Nochebuena. En casa, esta noche siempre había sido la más festejada, alegre y divertida de todas las fiestas; el amor y el agradecimiento que se respiraba en la atmósfera renovaba los lazos entre mis padres, entre mis hermanas y entre todos los que se reunían ahí. Pero nada de eso se presentó en esta ocasión. Mi padre, como todos los años, leyó el evangelio de los pastores que "cuidan sus rebaños en el campo" y mis hermanas abrieron sin ninguna emoción sus regalos. A pesar de ello, la voz de mi padre sonaba distinta y su aspecto envejecido y torpe captó mi atención. Mi madre estaba sumamente afligida, y para mí esta escena fue indeseable y muy triste. Esa noche nada tenía sentido; los regalos, el árbol, los votos de felicidad, el Evangelio... Aun así, los alfajores despedían una fragancia a nostalgia, a recuerdos hermosos que en realidad ya no eran tales. Estaba deseoso porque la noche finalizara, al igual que esas vacaciones.

De esa manera transcurrió el invierno. Los maestros me habían amenazado de nuevo con la expulsión definitiva del internado. Eso ocurriría pronto, y todo por mi culpa.

No tenía ninguna noticia de Demian y detestaba el olvido en el que me había tenido. Durante todo ese tiempo jamás lo vi. Inicialmente, en mi permanencia dentro del internado le había enviado dos cartas que nunca respondió. Tal vez por ello, mientras estaba en mi ciudad natal no lo quise visitar.

Ya en la primavera, y precisamente en el mismo parque donde me topé con Beck por primera vez, contemplaba como el verdor volvía a los árboles y al césped, pero también recuerdo haber visto a una mujer que llamó mucho mi atención. Esto ocurría en una de mis caminatas por la tarde en la que me sumergía en mis tristes pensamientos, porque cada vez mi salud era más frágil y empeoraba mi situación económica. Ya debía mucho dinero a mis compañeros y era pésimo mi crédito en tiendas de cigarrillos y licores. Realmente estas preocupaciones no eran tan importantes, como ya tampoco lo era el que me expulsaran del internado, ser recluido en un reformatorio o el hecho de quitarme la vida. Lo que en realidad me preocupaba, era el vivir al mismo tiempo entre tantas cosas ingratas.

La mujer tenía una cara infantil, inteligente y muy expresiva, era alta y delgada, y vestía con mucha elegancia. Pensé un instante únicamente en ella e inmediatamente me enamoré de su gracia. Era la clase de mujer que yo admiraba y comenzó a formar parte de todas mis fantasías. No era mucho mayor que yo, pero estaba más próxima a la madurez física. Su proximidad a la madurez femenina y su elegancia le daban una juventud en el rostro y un aire gracioso que me atrapó.

Jamás había tenido el valor para aproximarme a una mujer que llamara mi atención, y en esta ocasión no sería la excepción. Sin embargo, la impresión que me había dado esta dama era mucho más honda y el amor que sentí por ella influenció considerablemente mi existencia.

De nuevo, se volvió a erguir frente a mis ojos como una imagen sublime y perfecta. ¡Ah, ningún deseo era tan inmenso y fuerte como el de idolatrar y adorar a esa mujer! Le puse el nombre de Beatriz; a pesar de que yo no había leído a Dante; pero el nombre me era conocido por una pintura inglesa de la que poseía una copia. La pintura mostraba una figura femenina muy delicada de largas extremidades, manos hermosas y cabeza fina. La bella joven que había visto en el parque no tenía mucho parecido con la de la pintura, pero mostraba esa forma delgada —algo masculina— que tanto me gustaba, además de tener una cara espiritual y pura.

Nunca le dije una sola palabra a Beatriz, pero por ese tiempo influyó extraordinariamente en mis actos. En mi mente siempre estaba presente su imagen, me abrió un santuario, y me hizo su fiel creyente que cada noche rezaba en su templo perfecto. Dejé de ser, de la noche a la mañana, uno más de los muchachos que se lanzaban a la juerga y a las aventuras nocturnas. De nuevo estaba solo. Volvió a mí ese amor por los largos paseos por el parque y por la lectura.

Esta transformación trajo los chistes y las burlas de mis compañeros. Eso no me importaba, porque ahora tenía otra vez algo que podía idolatrar y admirar; de nuevo la vida me regalaba algo misterioso, hermoso y que llenaba todos mis sentimientos. Volví a ser dueño de mí mismo, aunque realmente, solamente era un servidor y esclavo de una imagen casi santa para mí.

No me es posible recordar esos años sin cierta emoción. Otra vez intentaba reconstruir sinceramente ese mundo luminoso y bueno sobre las ruinas que había dejado. Otra vez mi vida tenía como finalidad el deseo de terminar con lo tenebroso y lo maligno que estaba dentro de mí, permaneciendo a toda costa del lado iluminado y bueno, arrodillado ante mis dioses. Asimismo, este brillante mundo era una creación solamente mía; no se trataba de una huida en busca de la seguridad irresponsable o los brazos dulces y amables de mi madre, se trataba de una servidumbre, de una vocación, creada por mí, llena de disciplina y de responsabilidades. La sexualidad, bajo cuyo yugo vivía y trataba de escapar, con este nuevo fuego debía hacerse más pura, transformándose ahora en espíritu y devoción. En ese mundo ya no cabía nada repugnante o doloroso; debían salir por siempre las noches tormentosas, el morbo tenaz, las imágenes grotescas y obscenas, y el escuchar secretos a través de puertas prohibidas. Y el sitio que anteriormente ocupaban estas cosas horrendas, ahora lo iba a llenar un espléndido altar en honor a mi hermosa Beatriz; en cada oportunidad que me consagrara a ella, lo haría a los mismos dioses, al mundo espiritual. Toda esa parte de mi existencia que me obsequiaba pecados y excesos, la sacrificaba por la que daba amor y luz. Lo que yo buscaba, a fin de cuentas, era la pureza, la belleza, lo espiritual, no el placer mismo o la felicidad.

Mi vida cambió completamente gracias al culto practicado a Beatriz. Unas horas antes de verla, continuaba siendo el joven inmaduro y cínico, y a partir del instante en que la vi, era un devoto ministro de un templo, esperando llegar rápidamente a la santidad. Y no solamente me aparté de la vida mala a la que ya me había habituado, sino que intenté infundir en todas mis cosas, hasta en las más cotidianas

—lenguaje, vestido y comida—, la dignidad, la pureza y lo noble de mi nuevo despertar. Era un joven decente y correcto, andaba recto y con pasos más lentos, pero firmes y seguros. Tal vez los que observaban todo mi cambio sin saber su razón me miraban extrañados y con cierta comicidad, pero yo sabía muy bien que eso solo era un servicio divino.

Hubo una actividad muy significativa dentro de las nuevas que estaban encaminadas a demostrar mi nuevo espíritu. Comencé a trazar figuras en un trozo de papel. Esto se originó porque la pintura inglesa de Beatriz que guardaba con mucho celo, no tenía ningún parecido con mi diosa. Yo tenía el firme propósito de pintarla tal y cual la veían mis ojos. Profundamente emocionado con esta idea, conseguí juntar en mi nuevo cuarto —llevaba pocos días solo en él—, colores, papel, pinceles, lápices, vasos y todo lo necesario para iniciar mi nueva etapa. Me emocionaba mucho el ver reunido todo el material y los colores. Entre esos colores, uno en especial llamaba mi atención; era un verde fogoso que me hacía recordar una hermosa porcelana.

Trataba de tener bastante paciencia, porque sabía que no era nada fácil iniciarse en el arte de la pintura. Comencé trazando cosas sencillas como flores y paisajes muy pequeños que mi mente creaba; continué con árboles y un puente romano con algunos cipreses. En muchas oportunidades me hundía en ese nuevo juego de figuras y colores, dichoso como un chiquillo con juguete nuevo. Después, empecé a dibujar a Beatriz.

Los intentos iniciales fueron fallidos y acabaron en el cesto de la basura. Mientras más intentaba recordar los detalles del rostro de Beatriz que únicamente había visto a lo lejos, menos lo conseguía. Al final me di por vencido y comencé a dibujar una cara cualquiera dejando libre mi mano al dibujar líneas sobre el papel y siguiendo mis instintos. Cuando finalicé esa cara, no me fue totalmente desagradable, de manera que continué con mi técnica en nuevas pinturas. Cada vez las caras eran más expresivas y se iban aproximando a lo que yo esperaba, aunque realmente estaban lejos de lo auténtico.

De manera que lentamente fui dejando, en cada dibujo que hacía, más y más libre mi imaginación, llenando espacios y trazando líneas de manera caprichosa. Un día, finalmente, y sin yo darme cuenta de ello, vi una cara que me inspiraba algo muy especial que ningún otra cara conseguía. No era el rostro de Beatriz, ni intentaba serlo, era algo muy valioso e irreal. Tenía más los rasgos de un joven que de una mujer; el cabello no era dorado sino oscuro, rojizo; el mentón era duro y contrastaba con los delicados y rojos labios. En su conjunto, todo el dibujo era algo rígido, muy parecido a una máscara, pero era impresionante y estaba lleno de vida.

Cuando miré mi dibujo con detenimiento, mi cuerpo fue sacudido por una impresión muy particular. Parecía una imagen sagrada, un icono, mitad hombre y mitad mujer, desprovista de edad, fría y viva, realista y soñadora. Ese rostro tenía algo que decirme, algo muy mío, muy importante. Realmente se parecía a alguien que conocía, pero no sabía con exactitud a quién.

Muchos fueron los días que la pintura me acompañó por toda mi existencia. La ocultaba en un cajón pequeño y le echaba la llave para que nadie lo descubriera y se burlara de mí. Y durante la noche, cuando me encontraba a solas, sacaba el dibujo y conversaba con él, lo sujetaba a la pared con un pequeño clavo sobre mi cabecera y lo contemplaba hasta que me vencía el sueño. Al amanecer, mi primera mirada del día era para esa pintura.

Fue por esa época cuando, al igual que en mi niñez, volvieron los sueños a mi vida. Por varios años nunca había tenido un sueño hasta esos días. Estos traían imágenes muy diversas, y la cara que había dibujado, aparecía hermosa y horrible, buena y mala viva y muerta, hablando y callada.

Por fin, una mañana que desperté de uno de esos sueños lo pude reconocer. Me era tan familiar su mirada y daba la impresión de que me llamaba por mi nombre; sentía que me había estado esperando toda la vida y me reconocía como lo hace una madre con su hijo. Miré por un largo rato, con el corazón agitado, mi pintura, sus cabellos oscuros, su boca fina, su frente clara y recia (curioso reflejo que dan algunos colores cuando se secan), y sentí que cada instante que transcurría era como si me aproximara más al total reconocimiento, a la identificación exacta y al reencuentro.

Me paré justo enfrente de mi dibujo, después que salté de mi cama, y lo miré directamente a los ojos verdes, grandes y fijos; el derecho, estaba más alto que el izquierdo. En ese instante, miré claramente cómo parpadeó ligeramente, y con ese parpadeo lo reconocí de inmediato... ¡Cómo pude tardar tanto en darme cuenta! Se trataba de Demian.

Comencé a comparar, ya por la tarde, cada rasgo de la pintura con la imagen de Demian que tenía guardada en mi memoria. No eran con exactitud los mismos, aunque eran similares; pero pese a todo, ciertamente era Demian.

El sol, durante el verano, entraba con total libertad por mi ventana, que daba hacia el oeste. A medida que moría la tarde, mi cuarto se iba oscureciendo, de manera que se me ocurrió colgar el dibujo de Beatriz o, mejor dicho, Demian, de los cristales y ver cómo lo atravesaban los últimos rayos del sol. La cara se desapareció, pero sobre la blanca superficie ardían los ojos enmarcados de un vivo rojo, la boca fina e intensa y la claridad de la frente. Me mantuve sentado mucho tiempo frente al dibujo, incluso cuando ya no había nada de luz, lentamente me fui llenando de una sensación muy rara, porque sentía que ese retrato no era Demian o Beatriz, sino que la persona que había dibujado ahí era yo. La persona de la pintura no se parecía a mí en lo más mínimo —y no era necesario que fuera de esa manera—, pero representaba mi interior, mi futuro, mis demonios y mi vida. Si en alguna oportunidad llegara a tener un amigo, probablemente sería como el del cuadro; si llegara a tener una amante, su cara sería idéntica a la del retrato. En ese trozo de papel estaban reflejados mi vida y mi muerte.

Comencé a leer algo por esos días que me impresionó como nunca lo había hecho nada leído. Inclusive, nunca he vivido tanto un libro, exceptuando tal vez a Nietzsche. Era un libro de Novalis que contenía misivas y sentencias, muchas de las cuales no comprendía, pero que me interesaban bastante. Unas frases de este libro llamaron fuertemente mi atención y las escribí al pie del retrato: "Sentimiento y destino y son nombres de un solo concepto". Todo estaba claro ahora.

En muchas ocasiones encontré nuevamente a la joven a la que llamé Beatriz, solo que ahora ya no me atraía tanto como cuando la vi por primera vez. Continué teniendo una intuición sensible y un suave recuerdo, pero nada más. "Continúas unida a mí, pero no tú misma, sino solamente tu imagen; eres una parte de mi destino".

Volví a sentir, una vez más, una inmensa nostalgia por Demian. Desde hacía varios años no había tenido noticias suyas. Solamente lo vi una vez durante las vacaciones. Y ahora me acuerdo que este encuentro no lo incluí en mis anotaciones, y pienso que lo hice por amor propio y por venganza. Ahora tengo que hacerlo.

Durante unas vacaciones veraniegas, yo caminaba por las calles de mi ciudad sin nada especial que hacer, demostrando a cada paso mi vida de excesos. Miraba con desprecio las caras viejas de la gente de siempre, cuando me di cuenta que, del otro lado de la calle, se aproximaba mi amigo Demian. Me emocionó mucho verlo. De inmediato volvió a mi mente la historia de Franz Kromer. ¡Ojalá que Demian haya olvidado esos instantes! No era grato deber algo a Demian por ello; a pesar de que yo sabía que había sido una historia estúpida e infantil y que realmente no estaba en deuda con él.

Daba la impresión de que Demian esperaba mi consentimiento para saludarnos, de manera que cuando me aproximé a él tratando de no mostrar mis emociones, me extendió la mano derecha. ¡Ese era un nuevo saludo entre amigos! ¡Viril, firme, y a la vez, cálido y distante!

Durante unos instantes, me miró de arriba a abajo y me dijo:

—Amigo Sinclair, has crecido.

Él parecía no haber cambiado absolutamente nada, seguía tan joven y tan maduro como siempre.

Por unos momentos caminamos juntos y charlamos de miles de cosas sin ninguna importancia. No hablamos de ningún tema del pasado, ni tampoco mencionamos el tema de las cartas que le había enviado y que él nunca respondió.

En ese tiempo aun no existían ni Beatriz ni el retrato, todavía estaba hundido en mi fase de autodestrucción. Invité a Demian a entrar a una bodega en las afueras de la ciudad. Con ese imbécil tono fanfarrón que había obtenido en el internado, pedí que me dieran una botella de vino, llené dos vasos, brindé por nosotros y bebí con rapidez mi vaso, al igual que lo hacía con mis compañeros de escuela.

—¿Visitas continuamente cantinas? —preguntó.

—Por supuesto —respondí con calma—; ¿qué voy a hacer? Al final, es lo más entretenido por aquí.

—¿En verdad? Tal vez tengas razón. Claro que deben tener algo hermoso, la emoción del sitio, el vino y otras cosas. Sin embargo, yo me doy cuenta de que las personas asiduas a esos sitios han perdido completamente la exaltación báquica. Para ellos es una costumbre llegar a una cantina y beber vino solo por hacerlo. Toda una noche de auténtica embriaguez y orgía a la luz de las antorchas, eso sí vale la pena, pero estar varias horas sentado frente a una mesa e ingiriendo un vaso tras otro lleno de vino barato, ¿qué puedes hallar de hermoso en eso? ¿Te puedes imaginar a Fausto sentado en una tertulia de café una noche y otra?

Nuevamente llené mi vaso y bebí vino al tiempo que lo miraba con hostilidad.

—Bueno, no todos podemos ser Fausto ¿no es cierto? —respondí con aspereza.

Me miró asombrado por mi respuesta, sonrió y siguió adelante con su altivez habitual.

—Por supuesto, no tiene sentido discutir sobre ello. De cualquier modo, la vida de un libertino o un borracho es tal vez mucho más intensa que la de cualquier rico honrado. Y no recuerdo, además, en dónde lo leí, la vida del parrandero es una de las mejores formas de prepararse para el misticismo. Personas como San Agustín, que comenzó a abandonarse al placer, son los que se transforman en videntes.

La desconfianza comenzó a brotar de mi interior y no quería que Demian me sometiera. Indiferente, respondí:

—¡Sí, cada quien hace lo que le da la gana! A mí, para ser franco, no me llama la atención ser profeta o algo parecido.

Demian me miró de una forma inteligente y fuerte, y me dijo:

—Estimado amigo, mi intención no era molestarle. Además, ni tú ni yo sabemos el porqué ahora vacías tu vaso. Pero lo que está dentro de ti, eso que tranquiliza tu existencia, sí sabe por qué lo haces. Es bueno saberlo y estar plenamente consciente de ello, de que existe algo en nosotros que todo lo sabe, que todo lo desea y que todo lo hace mejor que nosotros. Ahora perdóname, me tengo que marchar a casa.

Nos despedimos con frialdad y Demian se fue. Yo me quedé en la cantina muy enfadado por lo que había sucedido. Acabé de tomarme la botella y al irme, un señor me dijo que mi compañero ya había cancelado todo. Esto hizo que aumentaran mi enfado y mi mal humor.

En este suceso coincidieron todos mis pensamientos, de manera que Demian los ocupaba todos. Las frases que me dijo en esa cantina volvieron a mi mente más vivas, más fuertes, y ahí se tatuaron: "Y es bueno tener conciencia de que dentro de nosotros existe algo que todo lo sabe".

Miré de nuevo el dibujo colgado de la ventana completamente apagado. Sin embargo, los ojos parecían seguir luminosos y brillantes. Esa era la mirada de Demian, o tal vez se trataba de aquel que está dentro de mí y todo lo sabe.

Cada día crecían más mis deseos de encontrarme otra vez con Demian. No sabía cómo poder llegar hasta él ni sabía nada de mi amigo. Únicamente había llegado a mis oídos que al finalizar sus estudios en la escuela había salido de la ciudad con su madre, probablemente con el propósito de continuarlos en otra parte.

Intenté recordar cada cosa de Demian, desde mis tiempos con Franz Kromer. ¡Cuántas cosas que me enseñó en esos días surgían otra vez! Y lo más curioso era que todas ellas todavía tenían sentido, no caducaban y me importaban mucho. Incluso sus palabras sobre el libertinaje que me disgustaron durante nuestra última conversación, surgieron en mi alma con mucha claridad. ¿Y si eso era lo que me había sucedido? ¿Acaso yo no caí en la embriaguez y en el desenfreno para después ponerme en pie por un impulso vital que me había transformado, que me había encaminado hacia la pureza y a la nostalgia de lo santo, de lo bueno?

A medida que caía la noche, recordaba cada una de las frases de Demian. Era una noche de lluvia, parecida a esa tarde cuando Demian descubrió mi secreto y me cuestionó con respecto a mi situación con Kromer. Y siguió la cascada de recuerdos, enlazando unos con otros: conversaciones camino a clases de religión y, al final, surgió el de mi primer encuentro con Demian. ¿En esa ocasión de qué hablamos? Al principio no lo podía recordar muy bien, pero finalmente, después de muchos esfuerzos, lo recordé. Nos encontrábamos afuera de mi casa, después de que él me había hablado sobre el relato de Caín, mirando el maltratado y viejo escudo que estaba colgando de nuestro portón. Puedo recordar que él me comentó que ese escudo le interesaba bastante y que debíamos fijarnos bien en esas cosas. Soñé durante la noche con el escudo que cambiaba continuamente de forma y con mi entrañable amigo. En este raro sueño, Demian tenía en sus manos el escudo, unas veces rojo y grande, otras gris y pequeño, pero siempre era el mismo, según sus palabras. Al final, Demian me obligaba a comerme el escudo y sentía con inmenso pánico como ese pájaro recobraba vida en mí y me devoraba las entrañas. Y desperté completamente aterrorizado.

Aun no salía el sol. Desperté bien y escuché que en el piso de mi cuarto estaba cayendo agua. Me puse en pie y noté que la ventana estaba abierta y que por ella estaba entrando el agua de la lluvia; cerré la ventana y sentí que pisaba algo blanco que cayó al suelo. Me di cuenta, ya en la mañana, de que era mi dibujo lo que había pisado en la noche. Arrugado y mojado, intenté arreglarlo. Lo puse en el interior de un libro para que no se arrugara más y se secara, y unos días después, cuando saqué el libro para ver cómo estaba mi dibujo, lo encontré en perfectas condiciones, solo que estaba un poco distinto. Los labios se habían afinado un poco más y ya no era tan rojos como antes. ¡Ahora sí se trataba de Max Demian!

De inmediato empecé a trabajar en un nuevo dibujo; ahora intentaría dibujar el pájaro heráldico que me devoraba en mis sueños. No podía recordar completamente cómo era, y en mi memoria no conservaba muchos detalles, ya que era un escudo viejo, descuidado y que fue pintado un sinfín de veces, igual que el portón de mi casa. El pájaro estaba parado sobre algo; posiblemente era un nido, la copa de algún árbol, un cesto o unas flores. Comencé los trazos sin tomar mucho en cuenta esto, tomando solo lo que había en mi memoria, pero guiado casi de manera exclusiva por lo que me dictaba mi interior. Usé colores muy vivos, dándole a la cabeza del animal un espectacular dorado. Después, de forma caprichosa, finalicé en unos cuantos días el dibujo.

Un ave de rapiña con una puntiaguda cabeza de gavilán fue el resultado final; la mitad de su cuerpo se encontraba sumergida en una esfera que era la representación del mundo prohibido, de la cual emergía el pájaro como si se tratara de un inmenso huevo. Mientras miraba más detalladamente mi dibujo, más se parecía al escudo rojo de mi sueño.

Aunque tuviera los datos exactos de Demian, no hubiera podido enviarle una carta o un mensaje. Sin embargo, y guiado por esa sombría intuición que por esos días regía mi camino, decidí mandarle el dibujo sin importar que los recibiera o no en sus manos. En él no escribí ni una sola letra ni nombre ni fecha, sencillamente lo recorté con sumo cuidado en la parte de las esquinas, compré un sobre grande y lo envié a su antigua casa en mi ciudad de nacimiento. Lo eché al correo y volví al internado.

Tenía que estudiar más de la cuenta, porque estaba cerca un examen muy difícil. Los maestros me habían abierto de nuevo los brazos desde que había dejado la vida ligera y de borracheras, con la esperanza de que mejorara en todo. No era que ahora sí era un excelente estudiante, pero era sumamente gratificante que ni yo ni nadie más en la escuela recordaran que mi expulsión de ahí era inminente hace unos meses.

Nuevamente mi padre me escribía como en un principio, sin reprimendas o amenazas, pero, por mi parte, no tenía la más remota intención de decirle a nadie el porqué de mi transformación tan radical. Si bien les parecía, tanto a los maestros como a mis padres que todo había sido producto de la casualidad y nada más. El cambio experimentado por mí no me aproximó más a mis compañeros ni a nadie en especial, sencillamente me hizo volver a mi soledad acostumbrada. Sin embargo, sabía que esta transformación me acercaba a Demian, hacia un destino distante. Yo ignoraba todo eso, pues me encontraba en el ojo del huracán. Todo había comenzado con Beatriz, pero desde hacía algún tiempo, vivía en un mundo imaginario, lleno de mis recuerdos de Demian y de raros dibujos. Inclusive, en ese mundo, ya mi diosa se había evaporado completamente. Y aunque hubiera querido mucho compartir mis sueños, mis esperanzas y mis cambios con alguien, estaba seguro de que no lo podía hacer.

Pero ¿por qué lo iba a querer hacer? ¿Por qué?

El pájaro rompe el cascarón

El pájaro de mis sueños estaba en camino buscando a Demian cuando recibí una respuesta, repentinamente.

Después del descanso entre clases, un día encontré un papel que estaba puesto entre las hojas de un libro sobre mi pupitre. El papel se encontraba doblado por la mitad, una costumbre en el internado cuando alguien recibía un mensaje de un compañero y que no quería que nadie lo supiera. Me sorprendí mucho, porque yo nunca había tenido contacto de esa clase con ninguno de los compañeros, de manera que no tenía idea de quién podía ser. Por un instante pensé que podría tratarse de una broma o algo similar, así que no lo tomé mucho en cuenta y dejé el mensaje entre las hojas del libro.

Ya en la clase, y cuando me disponía a cotejar una información del maestro en mi libro, el papel cayó nuevamente en mis manos. En esta oportunidad lo desdoblé y pude ver apenas unas cuantas palabras escritas en él. Al mirarlas rápidamente, mis ojos quedaron paralizados sobre una sola de esas palabras. Con el corazón latiendo con mucha fuerza y emocionado leí, con detenimiento, todas y cada una de las palabras que estaban escritas en ese papel: "El pájaro rompe el cascarón. El mundo es el huevo. El que desee nacer, debe romper un mundo. El pájaro vuela hacia dios, Abraxas es el nombre del dios".

Una y mil veces, leí las líneas escritas y caí en una honda y larga meditación. Esa era la respuesta de Demian, no había la más mínima duda. Solamente él y yo sabíamos de la existencia de ese pájaro. Había recibido mi dibujo, lo había entendido y estaba ayudándome a interpretarlo. Sin embargo, en mi mente seguía una duda: ¿Entre todo eso qué relación había?, y más que nada, ¿quién era el dios Abraxas? Jamás había leído o escuchado ese nombre. "¡Abraxas es el nombre del dios!".

Finalizó la clase y nunca supe de qué se trató. Comenzó una nueva, que realmente era la última de esa mañana. A cargo de la cátedra estaba un joven estudiante recién salido de la universidad. A todos nos agradaba mucho el maestro, porque era muy joven y no se daba importancia como los otros.

Siempre bajo su orientación, leíamos a Heródoto en ese curso. Esta lectura era de las pocas cosas que realmente me habían llegado a interesar, sin embargo, ese día no conseguí poner la atención de siempre. Abrí el libro y simulé estar siguiendo la lectura, pero en realidad yo me encontraba abstraído en mis pensamientos, en el mensaje y en todo lo que eso desencadenaba. Por otro lado, había corroborado lo que Demian me había enseñado muchas veces en la clase de religión: lo que se desea con mucha fuerza siempre se logra. Si en la clase yo me sumía en mis pensamientos sin dar disgustos o llamar la atención de los otros, podría estar seguro de que el maestro nunca me molestaría. Pero si estaba distraído o adormilado, el maestro se paraba frente a mí de inmediato y me interrogaba con respecto a la clase. Lo curioso es que, cuando uno en realidad estaba pensando profundamente en algo y se encontraba ajeno a lo que le tenía alrededor, siempre había algo extraño que lo protegía. Igualmente, había practicado y corroborado el poder que tenía en los ojos. También en mis tiempos de alumno junto a Demian, jamás había conseguido obtener el éxito que él me decía y me mostraba con claridad, pero ahora por mi propia experiencia sabía que se podían obtener cosas asombrosas con la mirada y el pensamiento.

Yo estaba a miles de kilómetros de distancia de la clase, de Heródoto y de todos mis compañeros cuando, inesperadamente, la voz del doctor Folien me trajo al instante y me despertó con brusquedad. Escuché su voz; estaba frente a mí y pensé haber escuchado mi nombre salir de su boca. Lo extraño es que no me estaba mirando, de manera que respiré calmado.

En ese instante escuché otra vez su voz, y su voz repetía nuevamente esa palabra misteriosa y mágica: "Abraxas".

Inmediatamente, intenté seguir su explicación que, si mi memoria no me falla, decía algo así, más o menos: "Por lo que se refiere a las doctrinas de aquellas comunidades místicas y sectas de la antigüedad, no debemos pensar en ellas como ingenuas o simples, a pesar de que así nos podría parecer desde el enfoque racionalista. Nos podíamos encontrar en la antigüedad con una profunda técnica mentalista para construir una gama sumamente compleja de verdades místicas y filosóficas, debido a que esa época no se contaba con una ciencia como actualmente. En muchas ocasiones nos encontramos con brujería y cosas superficiales, que llevaron a trampas, mentiras y brutales asesinatos, pero también en la magia nos podemos tropezar con un origen noble y de pensamientos intensamente profundos, como en la doctrina Abraxas, por ejemplo, de la que les hablé hace pocos minutos. Este nombre está relacionado con fórmulas mágicas de los griegos y en varios lugares del mundo se le considera el nombre de un hechicero muy poderoso, al igual que existen miles en los pueblos salvajes. No obstante, se cree que Abraxas es mucho más que un simple brujo o hechicero. Se puede pensar que es el nombre de un dios que tiene la cualidad y el poder de unir lo diabólico con lo divino".

El joven maestro siguió su cátedra con mucho esmero, mientras que la gran parte de los estudiantes no le hacían caso, y como nunca volvió a pronunciar el nombre de Abraxas, lentamente fui perdiendo también el interés, refugiándome en mis pensamientos nuevamente.

"Unir lo diabólico con lo divino"... Esa frase continuaba retumbando en mi cabeza, debido a que con ella podía unir mis meditaciones. Todo ello me era muy familiar por las conversaciones que había mantenido con Demian en los últimos años de nuestra amistad, recordaba muy bien que él me dijo que todos idolatrábamos a un dios que solamente representaba la mitad del mundo arrancada de forma arbitraria del mundo en su totalidad. Esa mitad que todos respetaban y amaban era la clara y la buena, pero que también la otra mitad debería ser respetada y venerada, de manera que se necesitaba crear a un dios que abarcara los dos mundos, el divino y el diabólico. Así pues, Abraxas era el dios que tenía parte de ambos mundos, porque en él se podía ver a Dios y al Demonio.

Pasé bastantes días tratando de seguir esa pista sin muy buenos resultados. Busqué con mucho afán en la biblioteca algo sobre Abraxas, pero no encontré nada. Yo no estaba habituado a este tipo de investigaciones que, de un modo u otro, solamente buscan verdades que realmente no sabemos cómo usar.

Como lo dije páginas atrás, la imagen de Beatriz se había ido perdiendo gradualmente, hasta que, al final, desapareció de mi vida para siempre. Su tierna imagen y todo lo que me había despertado al mirarla en el parque ahora ya no satisfacía mi alma.

Sin embargo, en las noches sin lograr conciliar el sueño, encerrado en mis pensamientos, nació de nuevo. Volvió a mí la imprevista nostalgia de la vida y la necesidad de idolatría y amor por mi Beatriz. Mi espíritu reclamaba ahora nuevas metas y nuevas imágenes. No obstante, esos deseos que nacían otra vez, no hallaban satisfacción, y no me era posible intentar engañarles con cualquier muchacha, de esas que satisfacían las necesidades de mis compañeros. De nuevo comencé a tener sueños, y no solamente en las noches, sino también durante el día. Deseos, imágenes e ideas inundaban mi mente y me apartaban de todo lo que estaba a mi alrededor, hasta que llegó el instante en que vivía menos en la realidad que en mis sueños.

Existía una cierta fantasía o sueño que se repetía incesantemente y que, con el tiempo, llegó a significar algo sumamente importante para mí. Este sueño significativo y tenaz era el siguiente: Volvía a casa de mis padres y encima del portón se veía resplandeciente el pájaro dorado, esplendoroso, y con un fondo azul. Mi madre salía a recibirme en la puerta, pero en el instante que yo entraba en la casa y la trataba de abrazar, ya ella no era mi madre, sino una figura alta y hermosa, muy parecida a mi primer dibujo y a Max Demian, pero a la vez me parecía distante, altiva y excesivamente femenina. Esta persona nunca vista antes me llamaba y me abrazaba de una forma afectuosa, vibrante y muy profunda. Aquí, sentía una rara mezcla de sentimientos, debido a que al tiempo que sentía en esos brazos algo divino, también sentía algo criminal y maligno. Esa persona que me estaba abrazando contenía muchos recuerdos remotos de mi madre y también muchos recuerdos de Demian. Su abrazo era un poco más de lo autorizado por las leyes del respeto, pero era pura dicha. Cuando despertaba de este sueño, a veces la felicidad inundaba todo mi ser; otras, un temor espantoso se apoderaba de mí, como si hubiera cometido un pecado mortal.

Lentamente, y sin notarlo, se fue estableciendo un enlace entre esta imagen interior y el mensaje que me llegó desde el exterior con respecto al dios que tanto estaba buscando. Este enlace se hizo cada vez más estrecho, más íntimo, y comencé a sentir que ese sueño conjuraba a Abraxas. Dicha combinada con angustia, mujer y hombre entrelazados, lo más sagrado y lo más malévolo, la más grande de las culpas bajo la sombra de lo más inocente; este era Abraxas, este era mi sueño de amor. Me daba cuenta ahora de que el amor no era una idolatría espiritual como la que sentía por Beatriz, ni tampoco era un bajo instinto animal como el de mis compañeros de juerga, era las dos cosas y mucho más. Era persona y animal, ángel y demonio, bien y mal, anhelo y pecado, hombre y mujer en uno. Sentía un enorme deseo por él, pero también una inmensa repugnancia; y siempre se encontraba presente, por encima de mí mismo.

La siguiente primavera abandonaría la escuela para ir a la Universidad, a pesar de que por el momento no había decidido a cuál iría ni qué es lo que iba a estudiar. Mi tenue bigote iba creciendo y ya me había transformado en todo un hombre, pese a mi enorme desorientación. De lo único que estaba seguro, era de mi sueño, de mi voz interior. Esto hizo que siguiera su guía ciegamente. Esto era muy complicado para mí y todas las mañanas intentaba rebelarme en contra de ello. En muchas ocasiones llegué a pensar que estaba mal de la cabeza o que tal vez jamás conseguiría ser un hombre común. No obstante, podía hacer cualquier cosa que me indicaran; con algo de concentración y trabajo podía leer y comprender a Platón, seguir cualquier fórmula química o resolver cualquier problema matemático. Únicamente había algo que no era capaz de hacer: eliminar la meta que se había instalado en mi cabeza e impedir que se dibujara en mis ojos, de la misma forma que lo hacía cualquiera de mis compañeros cuando decía que él deseaba ser abogado, artista o médico. Esto me era imposible. Probablemente algún día llegaría a ser alguien en la vida, desgraciadamente no tenía forma de saberlo. Tal vez, por muchos años, tendría que buscar por ahí y por allá y, finalmente, no llegaría a ninguna parte. Y si algún día alcanzara mi meta, esta probablemente sería tormentosa, temible y espantosa. Por una sola vez en mi existencia quería sentir que de mi interior brotaba naturalmente esa cosa que todos podían hacer y yo no. ¿Por qué era tan difícil para mí?

En mi loco propósito por descubrir lo que quería hacer, en muchas ocasiones fracasé pintando lo que señalaba mi corazón. Si alguna vez hubiera conseguido mi propósito, se lo hubiera mandado a Demian. ¿Dónde se encontraba en este momento? No tenía la menor idea ¿Cuándo estaría a su lado nuevamente?

Ya era cosa del pasado la serenidad que reinaba en mi alma mientras Beatriz influenciaba todo lo que hacía. En esos instantes había creído hallar una isla de quietud en un enorme mar de dudas y preocupaciones. Eso me sucedía siempre: cuando soñaba algo que me hacía sentir bien, siempre que algo me parecía bueno, lentamente iba perdiendo fuerza y se secaba completamente. Era inútil acordarse de eso. En esos instantes mi vida estaba llena de deseos incumplidos y de tensa espera que llegaba a trastornarme. La hermosa imagen de mi sueño aparecía frente a mí más nítida que si la tuviera presente en mi realidad; la podía tocar, conversar con ella, llorarle y hasta maldecirla. En muchas oportunidades la llamé madre y me puse de rodillas frente a ella; la nombré amor y me besaba saciando mi sed; le gritaba vampiro o asesino, demonio o mujerzuela. Igual me inspiraba sueños muy dulces que obscenidades grotescas; para ella nada era excesivamente bueno o malo.

Durante todo ese invierno mi interior pasó por aterradoras tempestades que no me es fácil describir. La soledad era mi eterna compañera y no me incomodaba. Vivía junto a Demian, del pájaro, de la imagen de mi sueño que era mi destino y junto a mi amada. Para vivir eso me era suficiente, debido a que estaba enfocado hacia lo inmenso y lo distante, llevándome hacia Abraxas. Pero yo no tenía control sobre ninguno de estos pensamientos o sueños; no me era posible darles texturas, voluntad o colores. Ellos me asaltaban, ellos eran los que tenían el completo dominio sobre mí.

No obstante, nada en el mundo exterior me podía afectar. Ya no sentía temor por nadie. De alguna manera todos mis compañeros lo sabían y siempre me miraban con un oculto respeto que hacía que me riera. Si así lo quería, podía invadir sus pensamientos más íntimos, asombrándolos siempre con ello. Esto no lo hacía continuamente, solamente de vez en cuando, porque estaba más ocupado en mis problemas y no en los de los otros. Ansiaba dar algo mío al mundo, relacionarme con él y luchar en su contra. En muchas oportunidades, al caminar por las noches en las calles, no me era posible volver a mi casa hasta que daban las doce de la noche, porque creía firmemente que a esas horas me encontraría con mi amada en alguna ventana o en cualquier esquina. Esto me angustiaba y no lo aguantaba, porque pensaba que todo esto me iba a llevar a quitarme la vida.

En esos días, la mera casualidad, como la llaman las personas corrientes, me hizo hallar un refugio muy singular. Y no es que las casualidades existan, sencillamente, cuando alguien está buscando algo, siempre lo encuentra. El que hace que las cosas ocurran es el deseo de la persona, su necesidad lo conduce a ello.

En una de mis caminatas por la ciudad había escuchado un órgano emitir notas muy agradables en una iglesia pequeña que se encontraba en los límites del pueblo. Jamás me detuve a escuchar bien, hasta que esa noche decidí detenerme para disfrutar de ese sonido. Era la música de Bach, me aproximé más y me di cuenta de que la puerta estaba cerrada. La calle se encontraba solitaria, de manera que tomé asiento en la banqueta y me preparé a disfrutar de la música. El órgano era excelente, aunque realmente no era demasiado potente; pero lo que me asombró fue la habilidad de la persona que ejecutaba a la perfección cada nota musical. Sabía que el hombre que se encontraba frente al instrumento entendía muy bien el tesoro que encerraba esa música y hacía esfuerzos por sacarlo, como si la vida se le fuera en ello. Yo jamás he sido un experto en técnicas musicales, pero he sentido la música como algo natural e innato desde mis años de infancia.

Cuando finalizó de ejecutar a Bach, el organista se preparó para interpretar algo más moderno, tal vez Roger. Casi no había luz en la iglesia y solamente se podía ver a través de la ventana un destello muy pequeño. Esperé a que acabara de tocar y caminé durante un rato enfrente de la iglesia hasta que salió el magnífico músico. Era un hombre bajo y fuerte, mucho mayor que yo, pero que todavía guardaba cierto aire de juventud. Sus pasos eran firmes y veloces; casi corría al caminar, hasta que se perdió en la noche oscura.

Muchas veces más fui a la iglesia, tomaba asiento al lado de la entrada y caminaba por fuera. Una vez hallé la puerta abierta y entré al lugar. Más de media hora estuve sentado solo ahí, padeciendo un frío muy intenso mientras el organista tocaba en la parte superior de la iglesia. Todo lo que alumbraba ese lugar era una leve luz que emitía una lámpara de gas. La música no solamente parecía provenir de ella, porque todo era afín a lo que estaba escuchando, era como si todas las cosas estuvieran enlazadas por una conexión misteriosa. El sonido que emitía era fervoroso, real y piadoso, pero no piadoso como los clérigos y beatos, sino más bien como los mendigos del Medioevo; esos que se entregaban completamente a un sentimiento por su mundo, muy por encima de cualquier confesión. Desde Bach, hasta los maestros italianos anteriores a él, eran interpretados con una exquisitez y una majestuosidad única. Cada composición musical de cada autor me decía lo mismo que el alma del organista expresaba con su música; me asaltaba la nostalgia, mi comunión con el mundo y mi alejamiento de él. Mi tensa atención no se podía apartar de esa fervorosa entrega y de la gran curiosidad de lo extraordinario que estaba presenciando.

Sin que el músico lo notara, una noche lo seguí cuando salía de la iglesia y me di cuenta de que entraba en una cantina muy pequeña. Automáticamente entré detrás de él y, por primera vez, lo pude observar claramente. Se sentó en un rincón del lugar; llevaba un sombrero y pidió una jarra de vino. Su cara era como la había imaginado: fea y un poco salvaje, inquieta, voluntariosa y terca. Sin embargo, su boca tierna e infantil contrastaba con su rostro; su mentón era indeciso. En sus ojos y en la frente estaban ubicadas su fuerza y su virilidad, pues lo demás en su cara era blando y suave. Lo que más me agradaba eran sus ojos orgullosos y hostiles.

Me senté, disimuladamente, en una mesa frente a él. La cantina no tenía más personas que nosotros. Cuando me vio ahí, se enfadó y parecía querer echarme del sitio. Lo miré fijamente y me dijo:

—¿Qué es lo que me mira?, ¿puedo ayudarlo en algo?

—No señor —contesté—, ya lo hizo.

El extraño hombre solamente frunció el ceño.

—¡Ah! ¿A usted le gusta la música? Yo pienso que esa afición es para estúpidos.

Sin demostrar timidez contesté en seguida:

—Varias veces he tenido la oportunidad de escucharlo en la iglesia de las afueras —dije—. Mi intención no es molestarlo, pero creí encontrar en usted algo especial, no sé muy bien qué, pero sí algo especial. Por favor, no me haga caso, yo continuaré escuchándolo en la iglesia.

—Cierro la puerta con llave siempre.

—Usted olvidó hacerlo hace unos días, de manera que entré y disfruté mucho escucharlo tocar. De cualquier modo, si está cerrado, tomo asiento al lado de la puerta y disfruto de sus melodías.

—¿En verdad? Puede entrar la próxima vez que vaya, indudablemente estará más caliente y más cómodo. Si así lo quiere, únicamente tiene que tocar la puerta muy fuerte para que lo pueda escuchar, pero si estoy tocando no lo haga. Muy bien, ¿qué es lo que quería decirme? Usted es un muchacho, parece un colegial o ¿es usted músico acaso?

—No, sencillamente me gusta escuchar música; pero esa música que usted interpreta, la absoluta, esa que puede hacer que el hombre se haga uno con el infierno y el cielo. Creo que mi fascinación por la música se debe a que ella no tiene ninguna moral. Todo lo que he hallado en mi existencia tiene moral, y yo ansío hallar algo sin ella, lo moral ha llevado siempre a mi vida cosas dolorosas y tristes. Tal vez no entienda bien... ¿Usted conoce un dios que es divino y diabólico al mismo tiempo? He escuchado por ahí que existe uno.

Después que se acomodó en su silla, el músico echó su sombrero un poco hacia atrás y se rascó la frente. Me miró como si me estuviera juzgando y, en voz baja, me preguntó:

—¿Cuánto conoce de ese dios del que habla?

—Desgraciadamente conozco muy poco de él; de hecho, únicamente sé cómo se llama: Abraxas.

El músico se giró y miró a su alrededor desconfiado de que alguien pudiera estar escuchando nuestra conversación. Se puso en pie y, misteriosamente, caminó hacia mi mesa; tomó asiento y me dijo:

—Ya lo sé. ¿Usted quién es?

—Soy un alumno del internado.

—¿Y cómo supo de la existencia del dios Abraxas?

—Lo escuché por casualidad.

Le dio un golpe tan fuerte a la mesa, que tumbó uno de los vasos y el vino se derramó en la mesa.

—¡Casualidad! Por favor, no me venga usted con eso. No es por casualidad cada vez que se llega a tener información de Abraxas. Me gustaría comentarle algo en referencia a ese dios.

Acomodándose nuevamente en la silla, se me aproximó y, con una mueca, me dijo:

—No lo haré aquí; será otro día. ¡Tome!

Extrajo unas castañas asadas de los bolsillos de su viejo abrigo y las lanzó sobre la mesa.

Yo no pronuncié ni una sola palabra; las cogí y comencé a comerlas calmadamente.

—Veamos —me dijo después de unos minutos—. ¿Usted cómo supo de... él?

Le respondí de inmediato:

—Eso fue durante unos años en los que yo estaba muy solo y vulnerable. Me acordé de mi relación de hacía varios años con un antiguo amigo, del cual sospecho algunas cosas, y le envié un dibujo que hice en la escuela y que no era más que un pájaro saliendo de un mundo de forma esférica. Pasó el tiempo, y cuando había perdido toda esperanza de recibir noticias de mi amigo, llegó a mis manos una nota donde se podía leer: "El pájaro rompe el cascarón. El mundo es el huevo. El que desee nacer, debe romper un mundo. El pájaro vuela hacia dios, Abraxas es el nombre del dios"

Mi compañero de mesa, sin pronunciar una sola palabra, siguió bebiendo vino y comiendo castañas.

—¿Podemos pedir otra jarra de vino? —preguntó con la boca llena de castañas.

—No, gracias. No me gusta beber —respondí.

Un poco decepcionado de mi respuesta, se rio y me dijo:

—Como prefiera. A mí sí me gusta beber. Todavía estaré un buen rato aquí. Si usted así lo quiere, se puede ir.

Estuve en la iglesia con él días después mientras tocaba, pero él no estuvo tan expresivo conmigo. Después me llevó por una vieja calle hasta una construcción muy antigua. Entramos a la vivienda y subimos hacia un cuarto enorme en penumbras. Ahí había un piano, un escritorio muy maltratado y un inmenso estante lleno de libros. Todo esto daba un ambiente de sabiduría a esta descuidada habitación.

—¡Realmente tiene bastantes libros aquí! —comenté con mucha admiración.

—Muchos de ellos pertenecen a mi padre, con quien comparto esta casa... Así es, aun vivo con mis padres, aunque en este instante no se los pueda presentar a usted, porque mi situación no es muy bien vista en esta casa. Yo soy una oveja descarriada, un hijo no muy querido. Mi padre es honrado y reconocido por todos; es un predicador y sacerdote muy importante en la ciudad. Y ya que me estoy abriendo a usted, yo soy el hijo en quien tenía puestas sus esperanzas, desgraciadamente, tomé el camino equivocado y me tildan de loco. Estudié Teología, y decidí abandonar la facultad unos meses antes de culminar la carrera. Sin embargo, pienso que continúo estudiando esta carrera, nada más que a mi manera. Aun me parecen interesantes los dioses que las personas se van creando en cada una de las épocas. Por ahora estoy totalmente dedicado a la música, y parece ser que me darán trabajo como organista muy pronto. Si esto es así, regresaré pronto a la iglesia...

Miré las librerías, haciendo esfuerzos por mirar con la tenue luz del cuarto. Pude observar libros latinos, hebreos, griegos, y más. Cuando volví a ver qué estaba haciendo el músico, me di cuenta de que se había sentado en el suelo, y manipulaba en la penumbra, apoyándose en una de las paredes.

—Por favor, acérquese. Filosofemos un poco; no vamos a decir ni una sola palabra, únicamente nos recostaremos boca abajo en el suelo y pensaremos unos instantes —dijo.

Se aproximó a la chimenea, que inicialmente yo no había logrado ver, y con una cerilla que tenía en la mano, la encendió. Las llamas pronto se erguían vacilantes frente a nosotros. Me recosté junto a él sobre una vieja alfombra y, al igual que él, miré con atención las llamas de la chimenea. De esa manera permanecimos una hora aproximadamente en silencio; lo único que hicimos fue mirar cómo jugaban y se entrelazaban las brasas hasta que se consumieron por completo.

—Lo más tonto que el hombre ha creado no es la veneración al fuego —dijo mi nuevo amigo en voz baja.

Ninguno de los dos volvimos a decir nada después de estas palabras. Abstraído en la magia del fuego, soñaba y miraba figuras que se formaban con el humo y las cenizas. Repentinamente me sorprendí. El músico había arrojado algo de resina al fuego y de ella surgió una pequeña y delgada llama. Pude ver claramente la cabeza amarilla del gavilán de mi pájaro heráldico. Resplandecían hilos dorados que formaban redes de las llamas agonizantes, aparecieron algunas figuras y letras, y vinieron a mi memoria recuerdos de rostros, animales, plantas y más objetos extraños y sin sentido. Al salir de mi sueño, miré a mi compañero y me di cuenta de que su barbilla se apoyaba sobre sus puños y no perdía detalle de las cenizas. Su mirada era fanática, fervorosa.

—Es hora de marcharme —le dije con suavidad.

—Muy bien, de acuerdo. Nos veremos después.

Mi nuevo amigo no movió ni un solo dedo, y como la luz del cuarto se había extinguido, intenté salir del lugar casi a tientas. Estuve a punto de caer varias veces en el pasillo y las escaleras, hasta que finalmente conseguí salir de la casa. Cuando ya estuve en la calle, miré hacia la casa donde había estado; contemplé la fachada y noté que ninguna de las ventanas emitía ningún brillo. Solo logré ver con claridad una placa de metal que, gracias a la luz de la calle, brillaba en el portón; se podía leer en ella: "Pistorius, párroco".

Al llegar a mi casa, subí a mi cuarto después de cenar, y entendía que nada yo había sabido con respecto a Abraxas o Pistorius; también, me di cuenta de que entre mi amigo y yo apenas habíamos cruzado unas pocas palabras, nada más. A pesar de esto, sentía que mi visita a ese sitio había sido muy provechosa. Además me sentía feliz, porque mi amigo me había prometido, para nuestro siguiente encuentro, una nueva pieza musical; era una "pascalle" de Busethude.

El organista Pistorius, sin yo tener idea alguna, me había dado una clase mientras yo estaba tirado en el suelo boca abajo en la chimenea de su desordenada habitación. Me había hecho mucho bien mirar el fuego y sus juegos, porque me había confirmado y había hecho más fuertes mis tendencias en lo que creía, y que yo no había fomentado nunca. Paulatinamente todo se fue haciendo más claro, pues desde mi niñez, yo había sentido cierta inclinación por mirar las figuras que la naturaleza formaba de manera caprichosa, y no solamente las miraba, sino que quedaba atrapado en su lenguaje tan peculiar y en su magia. Siempre llamaron mi atención, por ejemplo, las piedras que cambiaban de color con los rayos solares, las largas y retorcidas raíces de los inmensos árboles del bosque, las grietas en los cristales, el aceite que hacía figuras sobre algún río, y más. Desde que era un niño, todas estas cosas me habían cautivado, especialmente las nubes, el humo, el polvo, el agua y el fuego, pero sobre todo, las manchas de colores que podía mirar cuando cerraba los ojos. Esa enorme fascinación por las cosas naturales volvió a mí durante mis visitas a Pistorius, pues la fuerza y la alegría que me daba el hecho de realizar todo ello, intensificaba la conciencia propia en mi ser, y todo esto gracias al fuego y su magia.

De las pocas experiencias que he tenido a lo largo de mi senda hacia lo que realmente es mi meta vital, puedo hallar esta en un sitio primordial. Logramos tener un sentimiento de concordancia entre lo que es nuestro mundo interior y la voluntad que ha creado las figuras vacilantes, extravagantes y barrocas de la naturaleza, siempre que nos sumergimos en ellas. Tenemos la tendencia a pensar que son nuestras creaciones y las observamos jugar y vacilar hasta que desaparece esa frontera que separa a los seres humanos de la naturaleza; y llegamos a un punto en el que no sabemos si lo que estamos mirando proviene de impresiones internas o externas. No existe que nos señale de una forma clara y sencilla que nosotros también somos creadores, y de que nuestra alma participa de manera activa en la creación del mundo. En nuestro interior y en la naturaleza misma actúa algo divino, de manera que si el mundo exterior desapareciera, cualquiera de nosotros podría crearlo nuevamente, porque cada cosa que hay en él, montañas, árboles, ríos, flores y todo lo creado por la Naturaleza, ya ha sido creado por nosotros, se origina en el alma; y la eternidad es la esencia de nuestra alma; escapa de nuestro entendimiento, pero nos hace sentir amor y creación con mucha fuerza.

Vi confirmado en un libro de Leonardo Da Vinci todo esto que digo ahora. Se hacía mención en él a lo sugestivo e interesante que era el observar un muro al que millones de personas habían escupido.

Leonardo Da Vinci había sentido frente a esas manchas de la pared húmeda lo mismo que Pistorius y yo habíamos percibido frente al fuego.

En la siguiente entrevista que tuve con el músico, me dio una explicación mucho más amplia:

—Suponemos siempre que los límites de nuestra personalidad son muy angostos. Solo aceptamos aquello que entendemos como propio y personal, pero cada ser humano es el mundo total; y al igual que nuestro cuerpo es parte importante de la historia de la evolución —incluyendo animales y peces más antiguos—, también en nuestras almas tenemos lo que desde el inicio las almas de los hombres han llevado. Todos los demonios y dioses que han existido en las distintas culturas como la griega, la oriental y otras, todos ellos están dentro de nosotros; se encuentran vivos y presentes como deseos, posibilidades activas o caminos a seguir. Si alguna vez todo ser humano falleciera y únicamente quedara un niño pequeño vivo con algunas cualidades, él sería capaz de hallar el trayecto de las cosas y haría todo de nuevo, desde mandatos antiguos, nuevos testamentos y libros sagrados, dioses, demonios y paraísos hasta leyes.

—Muy bien —interrumpí—, y ¿entonces dónde queda el valor individual?, ¿cuál es el motivo para esforzarnos si ya tenemos todo dentro de nosotros?

—¡No! —dijo Pistorius bruscamente—. Existe una gran diferencia entre el llevar el mundo dentro de sí y el saber que esto es así. Un loco puede tener ideas que haya tenido Platón, mientras que un chiquillo y devoto estudiante de la escuela de Hernuht puede recrear complicados vínculos mitológicos que aparecen en Zoroastro o en los gnósticos, ¡pero no saben nada de ello! Y si ellos no lo saben, son como animalitos u objetos inertes. Probablemente usted no ve hombres en toda la gente que camina a diario por la calle; no significa que sean hombres el hecho de que anden en dos piernas y tarden nueve meses en nacer ¿no es cierto? Usted reconoce que muchos de ellos son gusanos, peces, sanguijuelas, ovejas o cualquier animal inferior. Todos tienen probabilidades de llegar a ser hombres, pero únicamente logran disponer de esta cualidad cuando se dan cuenta de ello y aprenden a llevar esta idea a su mente...

Mi amigo y yo solíamos tener conversaciones de este tipo. En pocas ocasiones me enseñaba algo nuevo que me asombrara. Sin embargo, todas estas charlas me ayudaban bastante a deshacerme de la piel, a formarme, a romper el cascarón en el que habitaba. Después de cada conversación con Pistorius, sacaba un poco más la cabeza del cascarón y me sentía libre, hasta que un día, por fin, pude sacar la cabeza de ave de rapiña y destruí completamente el cascarón del mundo que me asfixiaba. Continuamente comentábamos nuestros sueños, consiguiendo que mi amigo me diera una acertada e interesante interpretación de ellos. A mi mente viene un caso muy curioso. Mi sueño consistía en que yo estaba volando, pero no por mi propia voluntad, sino que era arrojado por los aires debido a una fuerza totalmente extraña a mí. En un principio, lo que yo sentía al volar era agradable y emocionante, pero no pasaba mucho tiempo antes de que el pánico me invadiera al darme cuenta de que llegaba a grandes alturas. En ese instante descubría que era capaz de controlar con mi propio aliento la elevación y el descenso, y me encantaba.

Según mi amigo Pistorius, este sueño me indicaba lo siguiente:

—Ese impulso que hace que vuele, es solo el patrimonio humano que todos poseemos. Nada más es el sentimiento de unión con las raíces de toda fuerza. Sin embargo, súbitamente nos invade el pánico y esto es muy peligroso. Es por ello que a mucha gente no le gusta volar y se siente mejor al caminar por la acera y de la mano de los preceptos legales. Usted no lo hace de esa manera, porque continúa volando, como en verdad debe ser, y cuando descubre lo extraordinario de esto, también cae en la comprensión de que usted es el dueño de lo que sucede, que esa enorme fuerza incontrolable que lo impulsa está dentro de usted y que, con un pequeño timón u órgano, puede controlarla. ¡Esto es maravilloso! Si no tuviera este timón, probablemente se iba a perder en los aires como lo hacen las personas desequilibradas. Ellas tienen unas intuiciones más profundas que las personas que prefieren caminar, pero no conocen el control y se pierden en un abismo. Sinclair, usted no; usted consigue controlar esa fuerza. ¿Pero cómo lo hace? Eso es algo que tal vez usted no conozca por ahora, pero lo logra a través de un regulador respiratorio, un órgano nuevo. Con ello, usted puede mirar lo poco individual de su alma y sus estratos más hondos. ¡Esto no es nada reciente! ¡Ha existido a través de los años! Es la vesícula natatoria, lo que lo peces utilizan como órgano de equilibrio. Inclusive, aun se pueden encontrar algunos peces en los que la vesícula natatoria actúa como un pulmón que, cuando así lo requieren, les sirve para respirar. En sus sueños, usted hace lo mismo que estos animales, controla el vuelo a través de su respiración.

Después que dijo esto, Pistorius me entregó un libro de zoología y me enseñó ilustraciones y nombres de esos peces primitivos. Un extraño escalofrío recorrió todo mi cuerpo cuando me di cuenta de que una función primaria de las épocas evolutivas vivía en mí.

La pelea de Jacob

No me sería posible resumir aquí todo lo que mi amigo músico me enseñó en referencia a Abraxas. El dar un paso hacia adelante en el camino hacia mí mismo fue lo más significativo que aprendí de Pistorius. Por esa época yo tenía dieciocho años y era un muchacho un poco vulgar, maduro en ciertos asuntos y retraído en otros tantos. Cuando miraba a otros jóvenes de mi edad y me comparaba con ellos, me sentía derrotado frente a ellos en muchas ocasiones. Sin embargo, también algunas veces salía victorioso de la comparación. Nunca llegué a comprender, o siquiera a compartir las alegrías y la vida de mis compañeros en la escuela, recriminándome el hecho. Sentía como si la vida misma me cerrara las puertas y yo estuviera muy distante de ellos.

Pistorius, un ser muy misterioso, pero extravagante, me infundió esa cualidad tan extraña para mí por ese tiempo: el cariño y el respeto hacia mí mismo. Este acto lo reforzó descubriendo siempre algo importante en mis sueños, en mi manera de ser, en mis conversaciones y en mis ideas. Siempre me consideró un adulto y no como un jovencito.

—Usted me dijo en una ocasión, que le gustaba la música porque esta no tenía moralidad. Es cierto. Pero lo que realmente le debe importar es que usted tampoco es un moralista. Usted no tiene que compararse con los demás, y si la que lo ha creado murciélago fue la naturaleza, usted nunca debe soñar con ser un tigre. En muchas ocasiones se mira como alguien raro y se siente mal por haber tomado caminos distintos a los de los otros. ¡Olvídese de eso! Mire con detenimiento las llamas del fuego y sus nubes; y en el instante en que aparezcan los presentimientos y comience a escuchar las voces de su alma, vaya tras ellas sin preguntar el por qué o sin preguntar ¿y tal persona qué pensaría de esto? No recuerde los sentimientos e ideas de sus padres, de sus maestros y de todas las otras personas. Si no lo hace, usted se estará echando a perder realmente, dejará el camino y solo será un fósil. Mi buen Sinclair, no olvide que nuestro dios es Abraxas; él es dios y diablo en uno; contiene ambos mundos. Él nunca se va a oponer a ninguno de sus pensamientos, sueños o fantasías. Recuérdelo siempre. Cuando llegue a ser normal e intachable, él lo va a abandonar. Lo va a dejar en libertad y buscará a otro en el cual actuar.

Recuerdo que el más frecuente y fiel de todos era mi sueño de amor. ¡Más de mil veces se repitió! En él me veía entrando a mi vieja casa por el enorme portón que tenía el escudo; yo quería abrazar a mi madre y en vez de ella, había una mujer inmensa, mitad hombre y mitad mujer. Esa figura me inspiraba, al mismo tiempo, mucho miedo y excesivo amor. No tenía el valor de contarle este sueño a Pistorius. Este sueño lo ocultaba muy bien en un rincón muy oscuro de mi alma, porque aunque le había revelado todo lo demás, esto, sencillamente era imposible para mí.

Pedía a mi amigo que interpretara en el órgano del templo el "pasacalle" de Butehude cada vez que me sentía apesadumbrado por algo. Sentado en la oscura iglesia, viajaba al compás de esa íntima y rara melodía; me perdía de todo lo que estaba a mi alrededor y me dejaba llevar por sus notas. Esa música me hacía sentir muy bien y comenzaban a brotar las voces de mi alma.

Varias veces, nos quedábamos en el templo contemplando la luz que entraba y salía por los inmensos vitrales.

—Es muy raro —comentó Pistorius—, que yo fuera estudiante de teología y que hubiera estado a punto de hacerme cura. En verdad, la equivocación más grande que tuve fue únicamente en mi formación. Estoy completamente seguro de que mi vocación es el sacerdocio, desdichadamente, pienso que me declaré satisfecho muy rápido y me entregué en manos de Jehová antes de contactar con Abraxas. Sin embargo, cualquier religión es bella, pues desde el cristianismo hasta la Meca todas son alma.

—Entonces —pregunté—, usted pudo haber sido un cura.

—No amigo —respondió con mucha seriedad—. Si yo hubiera entrado en el sacerdocio, hubiera tenido que decir mentiras, porque nuestra religión se practica de una forma muy rara. Nuestra religión considera que es obra de la razón. Tal vez si hubiera sido un sacerdote católico, hubiera podido continuar adelante, pero uno protestante ¡nunca! Los pocos protestantes auténticos —conozco unos pocos—, siempre se apegan a la letra, por ejemplo, a ellos nunca se les podría decir que Dios para mí no es un hombre, es un mito, un héroe, una inmensa sombra en la que los seres humanos se ven proyectados contra la pared de lo perpetuo. Y por lo que respecta a los otros protestantes, a los que van al templo únicamente para escuchar frases coherentes, para sentirse bien con ellos mismos, para ser partícipes de algo o cualquier otra excusa, a ellos, ¿qué se les puede decir? ¿Convertirlos? ¿Piensa usted eso? A mí no me llama la atención, para nada. Un sacerdote no debe convertir a nadie en ninguna religión; él debe vivir entre los que creen, entre sus semejantes y debe llevar consigo el sentimiento que rodea a su dios.

El músico continuó después de una pausa muy corta:

—Amigo mío, nuestra nueva religión, esa en la que hemos elegido como dios a Abraxas, es muy bella. Realmente, es lo mejor que tenemos. Ella está aun en pañales, todavía no tiene alas para volar y llegar a todos. Y como una religión solitaria no es nada, debemos hacerla más grande, hacerla colectiva, darle un culto, misterios, fiestas y seguidores...

Súbitamente, Pistorius guardó silencio y quedó en un trance muy profundo.

—Y ¿no sería posible que unas pocas personas, o inclusive una sola, realizara estos actos? —pregunté con algo de duda.

—Por supuesto que sí —respondió—. De hecho, yo hago esto desde hace muchos años. He tenido cultos que, si se llegaran a conocer, me podrían costar mi libertad. Pero creo que esto no es el camino correcto, o por lo menos, aun no.

Después que dijo esto, golpeó mi hombro de manera sorpresiva, provocándome un pequeño sobresalto.

—También usted debe tener sus propios cultos. Estoy convencido de que hay cosas que usted se guarda y no me cuenta; tal vez un sueño o una de sus fantasías. No es que los desee conocer, pero ¡dedíqueles templos y vívalos! Esto no es lo ideal, pero es una forma de comenzar. El que usted, yo y otras personas más consigamos renovar el mundo un día, es algo que tal vez pronto vamos a ver. Ahora, lo más acertado que podemos hacer es renovarlo desde nuestro interior, de lo contrario, nunca alcanzaremos nuestro objetivo. ¡Sinclair, téngalo en cuenta! Usted tiene dieciocho años y no anda, como la gran parte de los jóvenes de su edad, tras las prostitutas. Usted tiene deseos y sueños de un amor distinto, verdadero. Esto no debería darle miedo, porque ¡es su mejor patrimonio! En cuanto a mí, perdí muchos años de mi juventud intentando extinguir esos sueños. Eso no se debe hacer. No debemos hacerlo después que se conoce a Abraxas. No existe nada a qué tenerle miedo, ni pensar si es correcto o no lo que nuestros sueños nos piden.

Sorprendido por ello le dije:

—¡Pero no es posible hacer todo lo que a uno le provoca! ¡No se puede matar a alguien por el simple hecho de que no nos guste!

Mi amigo se aproximó y me dijo con suavidad:

—Hay oportunidades en las que todo se permite, hasta el homicidio. Casi siempre es una equivocación, y no le estoy diciendo que haga todo lo que le pasa por su mente. Pero con una falsa moral usted no debe limitar ideas, algo tienen de sentido si aparecen. No debemos matarnos en una cruz por ello, mejor, pensando en el sacrificio, tomemos todos del mismo cáliz y elevemos nuestras almas. De este modo podemos tratar cualquier pensamiento con amor y tolerancia, y, a la larga, nos revelará su sentido... Si en alguna ocasión llega a su pensamiento algo realmente inmoral e insensato como asesinar o cometer algún gran delito, imagine que es Abraxas quien de esa manera está pensando en su cabeza. El hombre al que usted quiere matar no es una persona en particular, sino solamente un disfraz. Siempre que detestamos a un hombre, lo que realmente no aprobamos es algo nuestro que se refleja en él. Piense que jamás nos preocupa lo que no está dentro de nosotros.

Estas palabras del músico me llegaron muy profundamente. Me quedé callado. Y lo que más me había sorprendido en estas palabras, es que coincidían bastante con las de Demian, las cuales desde hacía muchos años llevaba en mí. Ellos no se conocían, pero me habían dicho exactamente lo mismo.

—Todo lo que vemos —siguió—, son las mismas cosas que existen en nosotros. La auténtica realidad es la que está en nuestro interior, y si algunos viven en algo tan ficticio o irreal, es porque están admitiendo imágenes ajenas a ellos del exterior, asfixiando todo lo que ellos tienen dentro de sí. Sin embargo, muchos pueden llegar a ser dichosos así, pero cuando llegan a saber que existe otra cosa, es casi imposible que tomen el sendero de los demás, el sendero de la gran mayoría es muy sencillo; el nuestro, es excesivamente difícil, de manera que lo mejor es comenzar a andar.

Días después de esta charla, esperé inútilmente un par de veces a mi amigo, hasta que un día lo vi caminando en la noche por una calle. Dio la vuelta a una esquina; estaba solo y luchando con el viento fuerte y gélido. Estaba ebrio y su caminar era errante y demasiado lento. No quise hablar con él. Pasó justo a mi lado y no me miró; tenía los ojos desorbitados y daba la impresión de que estaba siguiendo una misteriosa señal desde algún sitio desconocido, intrigado por ello, fui tras él unas cuantas calles. Se apartaba de mí como si lo estuviera arrastrando un hilo invisible. Esta escena me deprimió mucho, de manera que esa noche volví a casa con mis sueños.

"Hermosa forma de renovar el mundo" pensé en silencio, pero me asustó la manera tan prejuiciosa y baja de mi recriminación. ¿Yo qué sabía de sus sueños? Posiblemente en su borrachera seguía un camino más real del que yo recorría con mi temeroso escrúpulo.

Durante los recreos en la escuela, me di cuenta de que un compañero de clases me buscaba y yo jamás le había puesto mucha atención. Su apariencia era la de un muchacho frágil, delgado, de cabellos rojos y con un comportamiento y una mirada especial. Mientras caminaba hacia mi casa una tarde, me di cuenta de que me esperaba en la calle. Me cedió el paso y caminó velozmente tras de mí. Cuando llegué a mi casa, puede notar cómo se quedaba frente al enorme portón.

—¿Te puedo ayudar en algo? —pregunté.

—Me gustaría hablar contigo unos minutos —me dijo con timidez—. Me podrías acompañar un instante por favor.

Acepté y empecé a caminar junto a él. Sentí su emoción y un poco de esperanza. Pude ver cómo temblaban sus blancas manos.

—¿Tú eres espiritista? —preguntó sin más preámbulo.

—No, Knauer —dije riendo—. ¿De dónde sacaste eso?

—Pero tienes conocimientos de Teosofía ¿no es cierto?

—No, amigo, tampoco.

—¡Vamos, no seas así! Sé que tú eres un ser especial, lo puedo ver en tus ojos. Estoy totalmente seguro de que tú te comunicas con espíritus. ¡Y no te estoy preguntando esto por simple curiosidad, Sinclair! Yo también me siento muy solo y estoy en esa búsqueda.

—A ver, dime qué es lo que te sucede —le dije animándolo—. Pero primero, quiero que comprendas que yo no sé absolutamente nada de espíritus. Tú lo has adivinado, yo vivo en mis sueños y, los otros también viven entre sueños, pero no en los propios, eso es lo que me diferencia de los demás.

—Tal vez tengas razón —susurró—, pero lo que realmente es significativo es saber cuáles son los sueños en los que estamos viviendo... ¿Alguna vez escuchaste algo sobre magia blanca?

Tuve que confesar mi desconocimiento del tema.

—Bueno, pues se trataba de que debes aprender a controlarte. Esta es una forma de hacerse inmortal y de conseguir poderes mágicos. ¿Jamás has hecho alguno de esos ejercicios?

Cuando me interesé en los ejercicios y recibí evasivas del muchacho, comencé a andar y lo dejé solo. Esta fue la única forma de que comenzara a hablarme sobre el asunto.

—Mira, si por ejemplo quiero dormirme o concentrarme en una cosa, hago este ejercicio: pienso en una palabra, en un nombre o en una figura geométrica y la imagino con fuerza en mi mente, lo más intensamente que pueda, esto lo hago hasta que consigo sentirla; después, la llevo a mi garganta y, de esa manera, hasta que ocupe la totalidad de mi cuerpo. Con ello, logro una seguridad y una fuerza tan tremendas que nada ni nadie me puede alterar.

Entendí vagamente lo que quería explicarme, pero noté que había algo más que le preocupaba al muchacho; no eran normales su agitación y nerviosismo. Intente preguntarle cosas más precisas y me expuso lo que realmente quería.

—Tú eres virgen ¿no es cierto? —preguntó con cierta desconfianza.

—¿De qué estás hablando? ¿Te refieres a sexo?

—Sí, así es. Yo lo soy desde hace dos años; a partir de que me involucré en la magia. Anteriormente tenía el vicio de... tú sabes. ¿Has estado con una dama alguna vez?

—No —le dije—. Aun no ha llegado la que estoy esperando.

—¿Pero te acostarías con ella si llegara a tu vida y tú pensaras que es la indicada?

—Por supuesto... Siempre y cuando ella también lo deseara —dije en tono de burla.

—Amigo, estás equivocado. Únicamente desarrollamos nuestras energías interiores teniendo una real continencia. Yo lo hago desde hace dos años y un mes. ¡Es muy difícil! A veces pienso que no aguantaré más.

—Knauer, yo creo que la virginidad no es demasiado importante.

—Lo sé —dijo irritado—, eso es lo que dicen todos. Pero de ti no esperaba esta respuesta. Debe permanecer virgen el que quiere andar por el camino de la superioridad, de la espiritualidad. ¡De eso no hay duda!

—Está bien, si eso es lo que piensas, continúa así. Yo no entiendo por qué debe ser más "puro" un hombre que se abstiene de tener relaciones sexuales. O respóndeme, ¿has conseguido eliminar el sexo también de tu mente?

Me miró sereno y dijo:

—No, por supuesto que no. Pero existe otro camino. Continuamente sueño por las noches con cosas tan espantosas que ni yo mismo me atrevo a recordar. ¡Son sueños aterradores, amigo!

En ese instante vino a mi mente lo que mi amigo músico me había comentado sobre los sueños ocultos, y aunque sabía muy bien de lo que se trataba, no se lo pude explicar al chico. No me era posible aconsejar a Knauer sin yo haber tenido la experiencia. De manera que guardé silencio y sentí una gran humillación por no poder ayudar a una persona que me estaba pidiendo auxilio.

—¡Lo he intentado todo! —decía sollozando el muchacho—. Usé agua fría, nieve, ejercicios, pero ¡nada! Despierto todas las noches de un sobresalto e intentando no recordar nada. Y lo más preocupante para mí es que todo lo que había conseguido avanzar en este tiempo, se ha ido perdiendo por los sueños que tengo. Ahora no es posible para mí concentrarme u olvidarme de las cosas, y por las noches no puedo conciliar el sueño. Estoy seguro de que así no aguantaré mucho tiempo. Seré más miserable que cualquiera que no lucha por nada si me rindo y caigo en la tentación. ¿Lo entiendes Sinclair?

Moví mi cabeza con gesto afirmativo, pero no pude pronunciar ni una palabra. Sentía que el muchacho me comenzaba a aburrir y me espantaba el hecho de que el sufrimiento y la desesperación de Knauer, no producían en mí la más pequeña emoción. Solo sabía que no lo podía ayudar con su problema.

—¿No me vas a comentar nada? —preguntó triste y desanimado—. ¿No me puedes enseñar el camino? ¿Tú cómo le haces? ¡Tiene que haber algún modo!

—Amigo, no te puedo ayudar. Me es imposible orientarte en lo que a esto se refiere. En muchas oportunidades yo no he recibido ninguna ayuda. Lo que debes hacer es pensar muy bien y escuchar qué es lo que te dice tu alma, no hay otra forma. Si no eres capaz de encontrarte a ti mismo, no hallarás espíritus que te señalen el camino. Créeme Knauer, es así.

Desilusionado y completamente callado, el muchacho me miró. Sus ojos se llenaron de odio, me hizo una mueca y comenzó a gritarme:

—¡Eres un farsante! ¡Yo sé que tú también tienes tu vicio! Te consideras muy listo y la realidad es que te revuelcas en la basura como yo y como muchos otros. ¡Eres un cerdo igual que yo! ¡Todos lo somos!

Comencé a apartarme del chico, aunque él caminó tras de mí unos metros insultándome. De repente se detuvo y caminó hacia el otro lado. En ese instante sentí piedad y repugnancia y no pude evitarlo hasta que llegué a mi casa y subí a mi habitación; ahí saqué mis dibujos y me entregué apasionadamente a mis propios sueños. De inmediato vino el de mi madre y la mujer desconocida, el del portón y el escudo. Esa vez logré ver muy bien los rasgos de la mujer, de manera que en seguida comencé a dibujar.

Cuando por fin acabé el retrato unos días después, lo colgué en una pared de mi cuarto. Puse una lámpara frente a él y me paré justamente como lo hago frente al espejo. Lo miré con detenimiento y continué así, tal vez en busca de alguna respuesta. El rostro era muy parecido al de Demian, aunque también tenía algunas características mías. Tenía un ojo más arriba que el otro, pero los dos evidenciaban fatalidad.

No sé cuánto tiempo estuve parado frente al dibujo. El esfuerzo que hacía había enfriado mucho mi pecho. Critiqué esa imagen y la culpe, la acaricié y me puse de rodillas frente a ella; la nombré amor, madre, prostituta, perdida y Abraxas. Al tiempo que hacía esto, en mí surgían las palabras que Pistorius —o ¿quizá había sido Demian?, no lo podía recordar—, me había dicho en relación a la pelea entre Jacob y el ángel: "No te voy a dejar hasta que me hayas bendecido".

El retrato, iluminado por la lámpara, se transformaba cada vez que invocaba algo. Se ponía brillante y claro y posteriormente oscuro y negro; cerraba sus ojos como si no tuvieran vida y después los abría arrojando miradas de fuego. Era muchacha, niño, animal hombre, mujer, se transformaba en una mancha y volvía a tomar su forma original. Finalmente, obedeciendo una fuerza interior, cerré mis ojos y pude mirar el dibujo dentro de mí, esplendoroso y con más fuerza. Traté de ponerme de rodillas ante él pero como estaba tan inmerso en mí, no me fue posible apartarlo de mi ser; sentí como si hubiera asimilado a mi yo completamente.

En ese instante empecé a escuchar un bramido misterioso y muy grave; algo parecido a una tormenta de primavera. Esta nueva sensación hizo que temblara asustado de algo tan lleno de angustia y totalmente desconocido. Ante mis ojos se encendieron y se apagaron miles de estrellas y una enorme cantidad de viejos recuerdos pasaron por mi cabeza. Esas imágenes fueron llenadas por tiempos de niñez, existencias anteriores y hasta estados primitivos. Sin embargo, estos recuerdos que cubrían toda mi existencia parecían no finalizar, por el contrario, mostraban un mañana, me alejaban del presente y me conducían a nuevas formas de vida. En ellas podía mirar imágenes muy nítidas y cegadoras, de las cuales, no puedo recordar ninguna.

Ya muy entrada la noche, desperté de un sueño profundo. No me había quitado mis ropas y me encontraba acostado sobre mi cama. Sentí como que tenía que acordarme de algo muy importante, pero no sabía de qué se trataba. Cuando encendí la luz, lentamente se fue aclarando todo. Miré buscando el retrato, pero este ya no se encontraba donde lo había colgado y tampoco se encontraba sobre la mesa. Me pareció entonces recordar que lo quemé, o ¿quizá soñé que lo quemaba y que me lo comía después?

Me dominó la incertidumbre. Intranquilo, me coloqué mi sombrero, cogí mi abrigo y me fui de mi casa. Anduve como un vagabundo por calles y plazas. Llegué a la iglesia donde mi amigo tocaba el órgano y espié angustiado por las ventanas siguiendo mi intuición. Atravesé la zona de prostitutas y me di cuenta de que algunas ventanas tenían las luces encendidas. Se podían ver adelante casas a medio construir, con ladrillos en el suelo, cubiertos de polvo y nieve. Continué caminando y me acordé de la vivienda que estaba en construcción, y a la cual, Kromer me llevó por primera vez para ajustar cuentas. Ante mis ojos se levantaba un edificio es noche gris. Parecía aquella antigua casa donde comenzó mi aventura con el mal. Un poderoso impulso me obligó a entrar; traté de huir pero no pude.

Caminé sobre ladrillos y tablas hasta que pude llegar al centro de la vivienda en ruinas. La fragancia era de humedad y frialdad. Cúmulos de arena se levantaban por todas partes. Repentinamente, se escuchó una voz asustada:

—¿De dónde vienes, Sinclair? ¡Oh Dios!

Una figura humana muy delgada salió justo a mi costado derecho; era un joven espectral con cabellos desalineados. En cuanto lo miré de cerca, de inmediato supe que era Knauer.

—¿Pero cómo llegaste hasta este sitio? —preguntó sumamente perturbado—. ¿Cómo pudiste encontrarme?

No comprendí lo que quería decirme.

—Yo no te estaba buscando —dije un poco nervioso; de mi boca y lengua torpes salían las palabras con mucha dificultad.

Me miró asombrado.

—¿No me estabas buscando?

—No. Algo me trajo hasta aquí. ¿Será que me llamaste? Seguro lo hiciste. ¿Qué estás haciendo en este lugar? Ya es demasiado tarde.

Me abrazó con mucha fuerza y dijo:

—Sí, ya sé que es demasiado tarde. ¡Oh Sinclair, tú no me olvidaste! ¿Me disculpas?

—¿Qué debo disculparte?

—¡Fui muy injusto contigo!

En ese instante recordé nuestra conversación. Ya habían transcurrido unos cuantos días, que personalmente, me parecían una verdadera eternidad. Repentinamente supe lo que estaba sucediendo. Comprendí por qué los dos habíamos llegado a ese sitio y qué era lo que Knauer quería hacer.

—¿Te querías suicidar?

Bajó la cabeza y se estremeció ante mí.

—Sí. No sé si hubiera tenido la valentía para culminar mi obra, estaba esperando que el sol saliera para hacerlo.

Lo conduje afuera de la casa y en el horizonte aparecieron los primeros rayos de luz. Caminé agarrado del brazo del muchacho y le dije:

—Vuelve a tu casa y no comentes esto con nadie. Knauer, perdiste el camino y has estado andando sin rumbo fijo. No somos unos cerdos como tú piensas, somos hombres, creamos dioses y reñimos con ellos, y después nos colman de bendiciones.

Durante un rato más, caminamos juntos en silencio y nos separamos. Cuando llegué a mi casa, ya el sol había salido por completo.

Lo mejor que me pudo pasar en esa ciudad fueron los momentos con mi amigo el músico; las lecturas griegas que compartimos sobre Abraxas, su órgano y su chimenea. En una oportunidad, él me enseñó a recitar la sagrada "Om" y me leyó una traducción de los Vedas. Pero lo que realmente me ayudó en mi evolución interior no fueron estas lecciones o estudios, sino algo tan ajeno a ello que ni yo comprendía en ese instante: la evolución de mi conocimiento sobre mí mismo; la confianza que se iba incrementando sobre mis sueños, ideas y percepciones; y la revelación más y más clara sobre el poder interior que poseía.

Era enorme el entendimiento con Pistorius. Para poder tenerlo a mi lado o conseguir que me conversara sobre algo, solo necesitaba pensar con cierta fuerza en él y era suficiente. Y era capaz de preguntarle cualquier cosa sin que estuviera presente, al igual que lo hacía con Demian. Para lograrlo solamente necesitaba enfocar mis preguntas hacia él con mi mente y mi pensamiento. La totalidad de la fuerza psíquica que ponía en ello, volvía a mí de inmediato, aclarándome cualquier duda. Sin embargo, la persona que me traía la respuesta no era Pistorius o Demian, era esa figura fabricada por mí; esa especie de hombre-mujer, de amor-odio que se encontraba en mí siempre. Ahora ya no vivía únicamente en mis sueños y dibujada en un papel, sino que se había transformado en mí mismo, en la imagen ideal.

En lo que respecta a mi relación con Knauer, el suicida frustrado, te puedo comentar que se transformó en algo muy curioso y hasta cómico. Se volvió un servil compañero desde la noche en que le salvé la vida. Se me aproximaba con raros deseos y cuestiones extrañas. Quería ver espíritus, aprender brujería y, cuando le decía que yo no estaba metido en esas cosas, no me creía. Frente a sus ojos, yo era capaz de todo. Me provocaba mucha risa que llegara a mí con asuntos tan extravagantes cuando yo estaba intentando resolver un problema propio, y que justamente sus locas preguntas me dirían la respuesta que buscaba con tanta intensidad. En muchas ocasiones simulaba estar enfadado y lo apartaba de mi lado, pero no podía negar el hecho de que de él surgía algo hacia mí, porque él también me era enviado. Pude notar que él también era un guía, o tal vez, un camino. Todos los libros y escritos que me traía me enseñaron mucho más de lo que pude suponer, a pesar de que en ellos él buscaba todas las respuestas y soluciones de la Tierra.

Knauer, con el tiempo, se marchó de mi vida sin más. No fueron necesarias las explicaciones con él, pero con mi amigo músico sí. Con Pistorius me sucedió algo muy curioso al final de mis años como alumno en el internado.

Cualquier ser humano, por muy bueno que sea, se ve en la obligación de vulnerar una o varias veces las bellas virtudes de la misericordia humana y el agradecimiento. Tiene que romper algún día el vínculo que lo une a sus padres y a sus maestros y sentir la gélida soledad, a pesar de que muchos de ellos aguantan poco y acaban por someterse nuevamente. De mis padres y su mundo, el mundo hermoso de mi niñez, me había desprendido sin luchar lentamente y casi insensible, eso me dolía mucho, y durante mis visitas a la casa me atormentaba todo el tiempo. Sin embargo, no me lastimaba el corazón y lo podía aguantar.

Esto es muy distinto si nuestra devoción y amor son diferentes a lo anterior y corresponden a una inclinación personal, cuando hemos conseguido un auténtico vínculo de amistad con alguien. Cuando esto ocurre, es excesivamente amargo y doloroso el vernos forzados a dejarlos, cada razonamiento que tenemos para apartarnos del amigo o maestro se transforma en una espada envenenada que hiere nuestro corazón; y mientras más hacemos para separarnos evitando que nos duela, esos golpes nos llegan hasta la cara. Los seres humanos que tienen una moralidad inflexible, sienten infidelidad o ingratitud por estas situaciones; el corazón huye despavorido a ocultarse en los valles virtuosos de nuestra niñez. No me era nada fácil comprender que esta ruptura se debía producir algún día, que también tenía que cortar ese lazo que nos unía con mucha fuerza.

Poco a poco fue surgiendo un sentimiento contrario a continuar aceptando de manera incondicional la orientación de Pistorius. Mi mundo había girado alrededor de su amistad, de su consejo y de su presencia en los meses vitales de mi adolescencia; era lo mejor que había tenido.

El Señor me había dado la fuerza para aceptarme tal y como era, gracias a él. Sus frases tradujeron mis sueños. Y ahora sentía una inmensa resistencia en contra de mi amigo; pensé escuchar enseñanzas de él y creí haber captado únicamente una parte de mi ser.

Entre nosotros nunca hubo una discusión; nunca rompimos ni tuvimos algún inconveniente. Únicamente hubo una sola palabra mía, tal vez inofensiva, que indicó el instante preciso en que entre nosotros se rompió una ilusión.

Desde hacía varios días me venía atormentando el hecho de nuestra separación, convirtiéndose en espantosa realidad un domingo en su cuarto de sabio. Acostados frente al fuego de la chimenea, me hablaba de los enigmas, las formas de la religión que estudiaba y en los que meditaba y cuyo posible futuro le inquietaba. Pero a mí me resultaba más curioso, que vital y trascendente. Consideraba que era una búsqueda bajo las ruinas de antiguos mundos. Súbitamente, comencé a sentir rechazo hacia su culto, sus mitologías y su actitud espiritual.

—Pistorius —dije interrumpiéndolo y con una maldad que me espantó—, usted debería contarme alguno de sus sueños, uno auténtico. Eso que me está diciendo es muy... ¡arqueológico!

Nunca había hablado de esa manera a mi amigo, y yo mismo me di cuenta de ello. Sentí vergüenza de haberlo herido en su corazón, de haber usado una broma sarcástica que él mismo había creado y que ahora yo, sin más ni más, le arrojaba a la cara.

Mi amigo lo notó y de inmediato guardó silencio. Me di cuenta que estaba herido y observé que su rostro palidecía.

Después de un prolongado y tenso silencio, arrojó un leño a la chimenea y me dijo sereno:

—Sinclair, tiene razón. Es muy listo para su edad. Jamás lo volveré a molestar con mis "arqueologías".

Sus frases sonaban calmadas, pero pude percibir muy bien su corazón herido. ¿Yo qué hice?

Casi lloré y traté de demostrarle afecto, pedirle disculpas, reafirmarle mi amistad, respeto y agradecimiento. Por mi mente pasaron palabras emocionantes pero no las pude pronunciar. Me quedé tirado en el suelo con los ojos clavados en el fuego. Él tampoco dijo ni una sola palabra. Y hasta que el fuego se consumió nuestra actitud fue esa; y en cada llama que se extinguía, también se extinguía algo tan profundo y hermoso que nunca volvería.

—Pienso que me malinterpretó —dije como un último intento por emendar mi error.

Esas palabras estúpidas y vacías escaparon de mi boca sin siquiera pensarlas.

—Comprendo —murmuró afligido mi amigo—. Usted tiene razón.

Se detuvo por unos segundos y después siguió:

—En la medida que un hombre pueda tener razón contra otro hombre.

"¡No, no! —gritaba algo dentro de mí—, no tengo razón". Pero nunca lo pude decir. Sabía muy bien que con esa palabra le había mostrado su miseria, su llaga y una debilidad esencial. Su meta era "arqueológica" y él buscaba con la mirada vuelta hacia el pasado. Era un auténtico romántico. En ese instante lo vi todo tan claro; precisamente lo que Pistorius había sido para mí, nunca lo podría ser para él mismo, ni siquiera darle lo que él me había dado. Me había llevado por un camino que él, mi guía, debía dejar también.

¡Cómo me pude expresar de esa manera! Mi propósito no era lastimarlo ni provocar un desastre. De mi boca había salido algo que no pensé que llegaría a semejantes dimensiones hasta que lo dije; caí ante una pequeña idea maliciosa, pero se transformó en una fatalidad. Había cometido una pequeña e irrelevante insolencia que él consideró como una sentencia.

¡Hubiese sido preferible que mi amigo se hubiera enfadado, me hubiera reclamado o me hubiera pegado en ese instante! Pero no fue así. Todo eso lo tuve que hacer dentro de mí. Si él hubiera podido sonreír. No lo hizo y eso me indicó el tamaño de su sufrimiento.

Al recibir callado el bajo golpe de su discípulo y reconocer su futuro en mi indiscreción, mi amigo me obligó a sentir repugnancia por mí a la vez que me daba cuenta de mi terrible equivocación. Cuando solté el espantoso golpe, creí que lo estaba haciendo sobre un hombre alerta y dispuesto a defenderse, pero no era así; se trataba de un hombre inofensivo, callado y que se rendía sin pronunciar ni una sola palabra.

Pasamos mucho tiempo frente al fuego, donde cada figura que se formaba me traía a la memoria tiempos felices con mi amigo. No lo pude soportar más, de manera que me puse en pie y me fui de ahí. Pasé por la puerta de la habitación, por los pasillos y las oscuras escaleras; llegué a la calle, me detuve frente a la casa, la miré con detenimiento esperando que mi amigo se asomara por una ventana y me pidiera que volviera. Todo fue en vano. Esa noche caminé errante por la ciudad durante varias horas. Atravesé suburbios, parques y plazuelas. Por primera vez en mi vida, esa noche sentí sobre mi frente la señal de Caín.

Recapacité sobre el hecho y mi mente me sentenciaba y defendía a mi amigo, finalizando siempre en lo contrario. En muchas ocasiones estuve a punto de arrepentirme y retirar las palabras ofensivas que lancé a la cara de mi indefenso amigo, pero ellas eran ciertas. Entendí a mi amigo y conseguí rehacer su sueño ante mis ojos: ser sacerdote. Lo que más ambicionaba era predicar la nueva religión, enseñar un nuevo fervor, lleno de adoración y amor, construir nuevos mitos. Esto estaba distante de ser su misión. Le gustaba mucho estar en épocas pasadas; conocía mucho acerca de la India, de Abraxas y de Egipto. Su amor estaba vinculado a imágenes que el mundo ya había visto, dándose cuenta dentro de sí, a la vez, de que todo debía surgir de un suelo virgen y ser nuevo. Tal vez su misión era la de socorrer a otros hombres para que pudieran llegar a sí mismos, justamente como lo había hecho conmigo. Pero su misión no era darles los nuevos dioses, lo inaudito. ¡Eso era! Cada persona tiene su misión, y esta, no era escogida, administrada o definida por su propia voluntad. Era un terrible error anhelar nuevos dioses y desear entregarle algo nuevo al mundo. No habían deberes, únicamente el de encontrarse a sí mismo, afirmarse interiormente y continuar el sendero sin ocuparse de la meta que se encontraba al final de este; ese descubrimiento me emocionó, porque era el producto de la espantosa experiencia que tuve con Pistorius. En muchas ocasiones jugué con el porvenir y me imaginaba papeles que aparentemente debía realizar; pintor, un poeta profeta, o cualquier otro que se me pudiera ocurrir. Eso no era verdad. Mi misión no era dibujar, escribir o predicar, nadie lo sabía realmente. La misión de cada ser humano es llegar a sí mismo. Podríamos ser profetas, locos, poetas o asesinos, eso no tenía importancia, porque al final, lo verdaderamente vital para cada uno es hallar su destino y vivirlo con intensidad. Todo lo demás era evasión, buscar un refugio, adaptarse a las cosas, mostrar temor ante la individualidad. Esta imagen surgió inmensa y sagrada ante mis ojos. Tal vez ya lo había sentido, pero nunca lo había vivido. Sabía que no era más que un plan de la naturaleza hacia lo no conocido, lo nuevo o, también, hacia la nada. Este plan nacía de las profundidades y debía sentir en mí su voluntad y total identificación.

Ya conocía la soledad muy bien, pero esta nueva soledad no la podía evitar.

No intenté reconciliarme con Pistorius. Continuamos siendo amigos, a pesar de que nuestra relación cambio demasiado. Él habló de esto una sola vez:

—Quiero ser sacerdote, y usted lo sabe. Más que nada, me encantaría ser el sacerdote de la nueva religión que usted y yo seguimos. Sé que nunca lo conseguiré, y esto lo sé desde hace bastante tiempo. Me tendré que conformar con funciones de un rango menor, posiblemente frente al órgano o de cualquier otra manera. Lo que sí debe ser es tener algo bello y santo a mi alrededor, música de órgano y enigma, símbolo y mito. Quiero vivir eso y no apartarme nunca, esa es mi debilidad, Sinclair, porque estoy seguro de que no debería permitirme esas debilidades, ya que únicamente demuestran mi debilidad y un falso lujo. Pienso que sería más grandioso y justo si me presento al destino con ambiciones. Pero no puedo, es lo único que soy incapaz de hacer. Usted tal vez lo consiga algún día. Es sumamente complicado; realmente, amigo mío, es lo único complicado que existe en esto. Esta idea ha ocupado mis sueños mil veces, pero no puedo realizarla, siento mucho temor. Me es imposible presentarme solo y desnudo. Yo también soy un desdichado perro sin fuerza que necesita algo de calor y amor de la gente cercana. Cualquier ser humano que no tenga deseos, exceptuando su destino, y que ha perdido amigos y familia; está solo en un universo frío. ¿Comprende lo que le digo? Es igual que Jesús en Getsemaní. Ha habido mártires que no se han opuesto a ser crucificados; esto no los hace héroes; no estaban libres; ellos deseaban algo familiar y amable; tenían modelos a seguir e ideales. El que únicamente desea cumplir con su destino, no posee modelos e ideales. Esta es el camino que transitaré. Gente como nosotros está siempre sola; a pesar de que nosotros tenemos nuestra amistad y nos revelamos anhelando lo extraordinario. Desgraciadamente, también debemos renunciar a ello si queremos continuar por el camino escogido. No podemos ser mártires, héroes o revolucionarios. Eso no se podría concebir.

Ciertamente, no se podía ni imaginar todo eso, pero lo podía soñar, intuir y presentir. A veces, cuando conseguimos la serenidad espiritual perfecta, lo podemos llegar a visualizar. En ese instante, me miraba profundamente e intentaba contemplar mi destino. No me interesaba lo que ellos reflejaran, maldad, amor, sabiduría o locura. Nada de eso se podría elegir. Lo único a lo que debemos aspirar es a nuestro destino, a nosotros mismos. Mi amigo Pistorius me había conducido por ese sendero.

Para mí eso días fueron de locura en mi interior. Era un grave riesgo cada paso que daba. Únicamente podía ver una negrura abismal que se abría frente a mí; y todos los senderos me llevaban hacia el mismo sitio. Miraba en mi mente un maestro parecido a Demian y en sus ojos se podía observar con claridad mi porvenir. Cogí un papel y escribí: "Me dejó solo mi guía. Me encuentro en mitad de la oscuridad. No es posible para mí continuar solo. ¡Ayúdame, por favor!".

Quería mandárselo a Demian, pero no lo hice. Cada vez que deseaba hacerlo, pensaba que era una estupidez solicitar ayuda. Sin embargo, memoricé las palabras que escribí y las recitaba frecuentemente dentro de mí. Era mi compañera en todo instante. Entonces comencé a entender lo que era orar.

Llegaban a su fin mis días de escuela. Mi padre lo había arreglado todo para que pasara unos días de vacaciones en la casa antes de irme a la Universidad. Aun no tenía claro en qué facultad estudiaría. Mis padres decidieron que estudiara filosofía durante un semestre. Bueno, en realidad no me importó demasiado, es más, me hubiera parecido bien cualquier otra facultad.

Eva

Visité, durante las vacaciones, la casa que alguna vez fue de Demian y de su madre. Vi a una mujer mayor caminando con tranquilidad por el jardín. Me aproximé a ella, y me dijo que la casa era suya. Recordaba muy bien a la madre de Demian y a él, pero no conocía el sitio al que habían ido a vivir. Cuando se dio cuenta de mi gran interés por encontrarlo, la anciana con mucha amabilidad me invitó a entrar en su casa. Me condujo a la sala y me enseñó un libro muy grande donde guardaba una fotografía de la madre de Demian. Casi no la recordaba, pero al mirar la fotografía casi me desmayo. ¡Era la mujer que aparecía en mis sueños! La madre de Demian era la mujer que estaba permanentemente en mis sueños; era delgada, un poco masculina, su rostro hermoso y atractivo, demonio y madre, amada y destino. ¡Era ella, definitivamente!

Al saber que la imagen de mis sueños se encontraba en la tierra, viva y real, todo mi cuerpo fue recorrido por una salvaje emoción. ¡Existía la mujer de mis destinos! ¿Dónde la podría encontrar? ¡Se trataba de la madre de Demian!

No tardé muchos días en emprender mi viaje. ¡Qué viaje! Me trasladaba sin descansar de un sitio a otro, guiado todo el tiempo por mi inspiración y con la única idea de hallar a esa mujer. Pasaba días en los que miraba continuamente figuras que me recordaban a la madre de Demian; en muchas ocasiones me fui tras mujeres parecidas por las calles de ciudades nuevas para mí creyendo que eran ella. Sentía, otros días, que la búsqueda era inútil y que no sería posible encontrarla, de manera que me sentaba en un parque y me sumergía en mis pensamientos intentando verla de nuevo.

No obstante, lentamente, la imagen iba perdiendo fuerza y se hacía borrosa. No podía dormir durante las noches, y únicamente conseguía dormir unos pocos minutos mientras iba viajando en tren. Una vez cuando llegué a Zúrich, una hermosa mujer de cascos ligeros intentó hablar conmigo un instante. No le presté atención, bajé la cabeza y seguí caminando como si ella no se encontrara ahí. Antes de mostrar cierto interés en una mujer que no era la que yo estaba buscando, hubiera preferido la muerte, aunque únicamente fueran unos cuantos minutos.

Sentía que mi destino tiraba de mí; tenía el presentimiento de que el encuentro estaba próximo y me enloquecía dándome cuenta de que todavía no era realidad mi mágico encuentro. Otra ocasión, en una estación de tren —creo que en Innsbruck—, vi por la ventanilla del tren a una mujer semejante a la madre de Demian, pero cuando me di cuenta de que no era ella, me hundí en una inmensa depresión. Una noche, apareció de nuevo la imagen en mis sueños, pero cuando desperté, me sentí tremendamente avergonzado de lo que estaba intentando hacer, de manera que decidí volver a casa.

Comencé mis estudios en la Universidad de H dos semanas después de mi regreso. Me sentía desilusionado por la imagen de mis sueños. La materia de Historia de Filosofía era muy simple y vulgar, al igual que todas las personas que asistían a esa Universidad. Todo seguía un patrón determinado. Todo era completamente predecible; todos los estudiantes hacían lo mismo y las caras alegres y juveniles de todos los compañeros tenían una expresión impersonal y vacía. Yo disfrutaba mi libertad; intentaba llevar una vida ordenada y serena en una casa muy pequeña de la ciudad.

Tenía dos libros de Nietzsche en la mesa de mi casa. Solo vivía con él; lograba comprender su soledad, miraba claramente el destino que lo empujaba sin descanso, sufría y me contentaba de cualquier cosa que le sucediera, pero sobre todo me sentía feliz de que alguien había tomado el camino correcto y lo había culminado.

Caminaba por las calles de la ciudad durante el otoño y escuché las melodías estudiantiles en una de las cantinas. Por las ventanas del lugar salía mucho humo de cigarrillos, voces embriagadas por el vino y risas.

En otra cantina más grande, que estaba más adelante, también pude escuchar la alegría de los jóvenes que invadía el lugar. La comunidad, el sentido gregario, el rechazo hacia el destino y el escondite del rebaño estaban presentes por cualquier parte de la ciudad.

Continué con mi recorrido mientras pensaba en todo ello, pero repentinamente pude darme cuenta cómo dos personas me rebasaban, y a mis oídos llegó de manera involuntaria lo que conversaban:

—¿Usted no cree que es muy similar a la cabaña de adolescentes en un pueblo de negros?; y todo es así, inclusive los tatuajes todavía están de moda. Esta es la joven Europa, mire usted.

El tono de esa voz me sonó muy conocido y me advirtió algo. Seguí por unas calles oscuras los pasos de las personas extrañas. Uno de ellos era de baja estatura y vestía de forma muy elegante; era un japonés. Esto lo pude corroborar cuando la luz de una farola le dio en el rostro redondo y amarillo. Su compañero le dijo nuevamente:

—Pero imagino que también entre ustedes los japoneses sucede lo mismo. Son pocos los sitios en donde los seres humanos no forman parte del rebaño. Aquí hay varios.

Esas palabras me hicieron temblar y me emocionaron mucho. Pude reconocer la voz. ¡Se trataba de Demian!

Aun seguí los pasos de esos hombres por calles oscuras de la ciudad durante mucho tiempo disfrutando y escuchando las charlas de mi amigo Demian. Todavía sonaba igual que en esos años de mi niñez; su voz era serena y segura, poderosa y firme. Todo iba maravillosamente. Al fin lo había encontrado.

Cuando llegaron a una calle estrecha se despidió de su amigo oriental y abrió la puerta de una vivienda. Demian dudó, se giró y caminó de nuevo. Yo me encontraba al lado de la calle y lo esperaba con muchas ansias. Lo vi caminar hacia mí orgulloso y altivo, con mi corazón agitado en el pecho. Llevaba un abrigo oscuro y usaba un bastón. Poco a poco, llegó a mí caminando, se quitó el sombrero y pude ver su cara blanca, su frente amplia y su boca fina.

—¡Demian! —exclamé con mucha emoción.

Me extendió la mano y dijo:

—¡Sinclair, al fin llegaste! Te esperaba.

—¿Sabías que me encontraba en esta ciudad?

—No con exactitud, pero sí sabía que ibas a venir. Hasta ahora que nos has estado siguiendo, no te había visto.

—¿Te diste cuenta entonces de que era yo?

—Por supuesto. Te veo un poco cambiado, pero la señal no se puede esconder.

—¿Cuál señal?

—Anteriormente la conocimos como la señal de Caín, ¿te acuerdas? Esa es nuestra señal. Ha estado contigo siempre y por eso me aproximé a ti. Ahora, está más clara que antes.

—Pero yo no sabía que yo tenía una señal; ¿eso es verdad? Te dibujé una vez y me asombró mucho que el dibujo también tenía algunas de mis características. Imagino que eso es debido a la señal.

—Por supuesto. No te imaginas el gusto que me da verte otra vez. Mi madre también se pondrá muy feliz.

Cuando escuché esto, la felicidad que sentía se hizo todavía mayor.

—¿Tu madre? ¿Está viviendo contigo? Escucha Demian, pero ella aun no me conoce.

—Eso no interesa, pues conoce muchas cosas sobre ti. Sin que yo le diga una sola palabra, ella sabrá que eres tú... Pasamos muchísimo tiempo sin saber nada de ti.

—Tuve el propósito de escribirte varias veces, pero me era imposible. En los últimos meses me asaltó un sentimiento de que te encontraría pronto. Esperaba todos los días que llegara el instante de hacerlo.

Me cogió del brazo y empezamos a caminar. Su serenidad me fue invadiendo lentamente mientras hablábamos como en las viejas épocas. Conversamos de las clases de religión, de nuestros tiempos de escolares y de nuestro poco agradable encuentro en las vacaciones. Tampoco en esta ocasión, curiosamente, tocamos el tema de Kromer, el motivo de nuestro primer encuentro y el vínculo más fuerte entre nosotros.

Una cosa llevó a la otra y, repentinamente, estábamos enfrascados en una charla muy rara. Seguí el tema que Demian tocaba con el japonés y le hablé acerca de la vida estudiantil. De ese tema brincamos a uno muy distinto. A pesar de ello, en el lenguaje de Demian todo era de una perfección y una sincronía absoluta.

Habló sobre el signo del tiempo que vivíamos y el espíritu europeo.

—Por cualquier lado —dijo—, se extiende el grupo o la manada, pero difícilmente se propaga el amor y la libertad. El espíritu de la corporación, desde los colegios y universidades, hasta los altos mandos de los gobiernos, únicamente son creados por la estupidez del hombre. Esa solidaridad de la que tanto nos hablan y se jactan, no es más que la consecuencia de la falta de imaginación y el miedo. Esta solidaridad, esta unión, en el fondo, está vieja y carcomida, a punto de derrumbarse.

—La comunidad —continuó Demian—, es algo bello, pero lo que estamos viendo crecer en todos lados no es la comunidad realmente. La auténtica comunidad nacerá, nueva, del conocimiento recíproco de todos los seres humanos y cambiará por un instante a todo el mundo. Eso que existe actualmente con el nombre de comunidad es un rebaño, un grupo de personas que sigue patrones. La unión de estos seres humanos es estimulada por el miedo que se tienen entre sí, y todos se protegen entre los suyos; los intelectuales en su rebaño, los obreros en el suyo y los empresarios en el suyo... Y ¿de qué tienen temor? De estar de acuerdo con sus mismas ideas. Sienten miedo de seguir sus propios instintos y forman una comunidad llena de hombres temerosos. Todos ellos piensan que las leyes bajo las cuales viven son perpetuas, y que, para seguir adelante, no son necesarias ni sus religiones ni su moral. A lo único que Europa ha canalizado sus esfuerzos, durante más de 100 años, es a edificar fábricas y a estudiar culturas antiguas. Cada europeo sabe muy bien la cantidad de pólvora que se necesita para destruir a otra persona, pero desconocen la forma de pasar un instante agradable o de rezar a Dios. ¡Solo fíjate en las cantinas llenas de estudiantes! ¡Mira los sitios en donde los ricos llegan para reírse y entretenerse! ¡Es un espanto! Estimado amigo, nada bueno saldrá de todo esto. Los hombres que se agrupan por el temor y están llenos de maldad, nunca conseguirán tener confianza de su vecino. Su única lealtad es hacia unos ideales caducos, excluyendo a cualquiera que crea en unos nuevos. Estoy seguro de que habrá inmensos problemas muy pronto, ya lo verás. Estos conflictos no cambiarán al mundo como ellos lo ven. El día en que los obreros tomarán las vidas de sus patrones va a llegar; también Alemania y Rusia comenzarán pronto una guerra y nada va a cambiar. Los personajes que están a la cabeza serán lo único que variará. Sin embargo, estos hechos no serán inútiles del todo, porque abrirán los ojos de unos cuantos y verán la miseria de los ideales actuales; se verán forzados a destronar a dioses de la edad de piedra e idolatrarán a los nuevos. Sinclair, el mundo, tal y como lo vemos, lo único que quiere es hundir, morirse, y lo conseguirá.

—¿Entonces, nosotros qué papel vamos a jugar? —pregunté.

—¿Nosotros? Seguramente nos vamos a hundir con él. Tú y yo también podemos fallecer en manos de alguien; pero eso no acabará con nosotros. Todo lo que hayamos dejado en nuestro alrededor, nuestras enseñanzas, nuestra presencia, nuestra esencia, unirá otras voluntades y continuaremos viviendo. Así, demostraremos nuestra voluntad, la voluntad de la humanidad, que la Europa trató de asfixiar con tantas fábricas y técnicos. Cuando esto ocurra, se comprenderá que la voluntad de los seres humanos nunca se identificará con las sociedades, con las naciones, con las asociaciones o con las iglesias actuales. Comprenderán que lo que la Naturaleza quiere con la humanidad se encuentra en cada hombre, en ti y en mí. Esto lo podemos ver con claridad en Jesús o en Nietzsche. Cuando los seres humanos actuales caigan, y con ellos sus comunidades, habrá lugar para que surjan las corrientes que, de modo natural, pueden cambiar de forma diariamente, pero que son las importantes siempre.

Logramos llegar, ya muy entrada la noche, a un jardín con un arroyuelo.

—Vivimos aquí —dijo Demian—, espero que vengas a visitarnos muy pronto.

Emprendí el camino hacia mi casa con una felicidad casi nueva para mí. Era muy fresca la noche y estaba llena de caminantes que, borrachos y tambaleantes, intentaban volver a sus hogares. En muchas ocasiones había sentido alguna discrepancia entre sus felices e ilógicas existencias y la mía extremadamente solitaria. Pocas veces sentía envidia de ellos, pero las más me reía irónicamente de sus destinos. Hoy pensaba de nuevo en ello, pero más sereno y sin importarme tanto esa situación; es más, veía su mundo remoto y distante. Acudieron a mi memoria los honestos filisteos de mi ciudad natal, señores ancianos llenos de decencia que conversaban cosas pasadas de sus años escolares como si ello fuera la libertad perdida o el paraíso; rendían auténtico culto a sus románticos años de niños.

¡En todas partes era lo mismo! Los seres humanos siempre estaban buscando la libertad y la felicidad en un punto de sus existencias que ya habían dejado atrás hace mucho tiempo. Esto lo hacían por el espantoso temor que les producía su misma responsabilidad y la de destino. Disfrutaban y bebían mucho durante un par de años, pero inmediatamente después, se unían al rebaño y se transformaban en señores que servían a la comunidad. Era verdad lo que decía Demian: Nuestro mundo está putrefacto, y el mundo estudiantil ya no parecía tan imbécil; no al menos cuando era comparado con los hombres miedosos.

Cuando llegué a mi casa —que estaba al otro lado de la ciudad—, me acosté y ocupé mis pensamientos únicamente en la promesa que ese día me había entregado. Cuando yo deseara, podía ser mañana mismo, visitaría a Demian... y a su madre. Poco me importaba que los estudiantes se tomaran todas las barricas de vino; que se tatuaran la cara o que el mundo estuviera lleno de corrupción y a punto de derrumbarse, lo que realmente me importaba era que, con una nueva imagen, mi destino llegara a mí.

Ya cerca del amanecer me quedé dormido. Llegó un nuevo día, y con él una auténtica fiesta. Era una de esas mañanas solemnes y especiales; muy similares a las vísperas de Navidad de mis años de niñez. Empecé un nuevo día que sería decisivo agitado por todo lo que había sucedido la noche anterior. Miraba expectante, comprensivo y solemne cómo todo mi mundo se transformaba. Inclusive la lluvia otoñal era perfecta y llena de música para mis oídos. Era la primera vez que el mundo exterior era tan hermoso como el interior, fusionándose los dos en una sensación muy especial. En mi alma había una fiesta y la vida me parecía llena de armonía y amable. Miraba a mi alrededor las casas, los rostros y todo lo que alcanzaban mis ojos me parecía precioso; todo era como debía de ser; ya no tenía esa apariencia vacía de lo acostumbrado, de lo de siempre; se había transformado en naturaleza expectante, lista para recibir el destino del modo más respetuoso posible. Esta era mi visión infantil del mundo en las mañanas de Navidad. Me parecía imposible que el mundo estuviera lleno de tanta hermosura. Mi hábito de estar abstraído me había hecho perder el sentido de lo que sucede afuera, de que la pérdida de colores brillantes se encontraba vinculada a la pérdida de la niñez y que había que extinguir la madurez y la libertad del alma renunciando a ese ligero destello. Pero ahora veía que todo eso únicamente se había cubierto, y que en este momento que era un hombre libre que había renunciado a la felicidad de la niñez podía ver al mundo brillante y disfrutar, al mismo tiempo, de mi visión de chiquillo.

Me encontraba parado frente al jardín en donde me despedí de Demian la noche anterior. Oculta tras la sombra de unos árboles, se erigía una casa pequeña, de cuyas ventanas brillantes se podían observar con claridad las paredes con cuadros y librerías llenas de conocimientos. La puerta principal conducía a un salón muy pequeño, tibio y sumamente agradable. Una criada de mucha edad, vestida de blanco, tomó mi abrigo y sombrero y me llevó a él.

Ya solo en la estancia, miré a mi alrededor y se sentí otra vez en mi sueño. Había un cuadro muy conocido en una pared de madera oscura, en la parte más alta; el marco era de color negro y estaba protegido por un cristal. Era el pájaro con cabeza amarilla de gavilán emergiendo del cascarón del mundo. Emocionado, lo observé durante varios minutos y sentí una combinación de alegría y sufrimiento; era como si en ese preciso instante todo lo que había hecho a lo largo de mi existencia volviera a mí como confirmación o respuesta. Frente a mis ojos pasaron un sinnúmero de imágenes: yo siendo un niño y bajo la influencia malévola de Kromer, la casa de mis padres con el portón y su escudo;

el joven Demian dibujando ese escudo; yo dibujando en mi habitación de escolar con mi alma atrapada en una red de confusos sentimientos. Todos y cada uno de mis momentos emergieron de mi interior y hacían un ruido de aceptación, de aprobación.

Cuando seguí mirando el cuadro, los ojos se me nublaron. Repentinamente baje la mirada y distinguí, a través de una puerta, la imagen recta de una mujer con un traje negro: ¡era ella!

Me quedé mudo. La hermosa y majestuosa mujer me sonrió con una cara que, al igual que la de Demian, no tenía edad, mostrando una inmensa voluntad. Su mirada era la máxima realización y su saludo me hizo sentir que volvía a casa. En silencioso, extendí mis manos; ella las tomó y sentí un calor y una firmeza inusitados.

—Usted es Sinclair, lo reconocí de inmediato. ¡Bienvenido!

Su voz, cálida y profunda, me supo al mejor de los vinos. Alcé los ojos y contemplé una cara serena de ojos negros muy profundos; su boca era fresca, madura y fina; su frente majestuosa y despejada mostraba ligeramente un signo.

—¡Estoy fascinado! —dije mientras le besaba las manos—. Siento como si toda mi vida hubiera sido una prolongada travesía y, en este momento, estoy llegando a mi país.

La madre de Demian sonrió con dulzura.

—Al país nunca se llega —dijo con una voz muy tierna—. Pero todo el Universo es como nuestro ansiado país cuando se cruzan los caminos amigables.

Precisamente eso era lo que yo había sentido en mi camino hacia ella. Sus palabras y su voz eran muy parecidas a las de Demian, pero también eran diferentes. Todo lo que ella expresaba era más natural, más maduro y más cálido. Tal como su hijo no aparentaba ser un muchacho, ella no daba la impresión de ser madre de un hombre; su apariencia juvenil y dulce se reflejaba en su rostro, en su floreciente boca, en su suave cabello y en su piel dorada. Orgullosa y más grandiosa que en mis sueños, se levantaba ante mis ojos. Su mirada cumplía cada promesa y estar a su lado era la felicidad absoluta.

De manera que la nueva imagen que me mostraba mi destino, ya no era como antes, dura y dolorosa, se había transformado en paciente y amable. En ese instante no tomé ninguna decisión ni tampoco hice ninguna promesa... Llegué a la cumbre de mi camino, a la meta, y desde ahí, lo veía continuar más grande y más resplandeciente, rodeado de bellos árboles y perfumado por las delicadas fragancias de los jardines cercanos. Cualquier cosa que siguiera me importaba poco; yo era dichoso por haber hallado a esa mujer, escuchar su voz y respirar su esencia. Poco me importaba si era madre, diosa o amante; para mí era suficiente saber que se encontraba viva y que mi sendero estuviera junto al suyo.

Su mano delicada me señaló el dibujo que hice:

—Con ese dibujo hizo muy dichoso a Max —dijo con ternura—. De hecho, a mí también me gustó mucho. Lo estábamos esperando, y al llegarnos el dibujo, supimos que vendría pronto a nuestro lado. Sinclair, cuando usted era un pequeño niño, mi hijo llegó de la escuela y me dijo: "Hay un niño en el colegio que tiene la señal en la frente; tiene que ser amigo mío". Ese niño era usted. Su camino no ha sido fácil, pero estábamos seguros de que usted lo lograría. Una vez, durante las vacaciones, usted se encontró con Max; creo que usted ya tenía 16 años. Max me comentó algo de eso...

Entonces la interrumpí:

—De verdad lamento mucho que usted haya sabido de ese encuentro. Esos años fueron los más miserables y los peores.

—Sí, así es. Max me dijo: "Ahora Sinclair está enfrentando lo más duro y difícil. Ha tratado de refugiarse de nuevo en la colectividad; incluso pasa tiempo en las cantinas. Se ha opacado la señal de su frente, pero continúa quemándolo". ¿No es cierto?

—¡Es cierto, así es! Por ese tiempo me encontré con Beatriz, y también a Pistorius, nuevo guía. Comprendí por qué durante mis primeros años me uní a Max y por qué no me era posible apartarme de él. Estimada señora, madre mía, por esos días pensé varias veces que tenía que suicidarme. ¿Para todos es tan difícil el camino?

Su mano acarició con suavidad mi cabello, como si el viento estuviera jugando con él.

—Nacer siempre es complicado. El pájaro debe sufrir para romper el cascarón, eso usted ya lo sabe muy bien. Pero vuelva su mirada hacia atrás y pregúntese en verdad si su camino fue tan difícil. ¿Únicamente fue difícil? ¿Acaso no encontró en él cosas muy hermosas? ¿Usted me podría decir si existe otro camino tan hermoso y tan difícil como ese?

Pensando en ello, moví mi cabeza poco a poco.

—Fue difícil —dije con lentitud—, fue difícil hasta que vino el sueño.

Ella me miró fijamente y asintió con su cabeza.

—Así es, cada uno de nosotros debe encontrar su sueño; cuando lo hacemos, el camino es un poco más fácil. Ahora, debemos comprender que no hay un sueño eterno; cada sueño es sustituido por otro nuevo y no nos debemos aferrar a uno solamente.

Cuando escuché sus palabras me estremecí. ¿Acaso eran un aviso? ¿Quizá eran una advertencia? La verdad es que no me importaba lo que fuera, estaba preparado para dejarme llevar por ella y no averiguar cuál era mi meta.

—Ignoro —dije—, lo que ha de durar mi sueño. Ojalá fuera para toda la vida. Bajo la imagen del pájaro salió a recibirme mi destino, como lo hace una madre, una amante. Yo soy de él y nada más.

—Mientras dure su sueño, usted debe serle fiel —aseveró ella firmemente.

En ese instante la tristeza se apoderó de mí y quise morir ahí mismo. Sentí que de mi alma brotaban sin parar las lágrimas. ¡No lloraba desde hacía mucho tiempo!

Me alejé de ella bruscamente y caminé hacia la ventana, en donde vi con mis ojos humedecidos unas bellas flores. Detrás de mí escuché su voz; sonaba dulce y serena, igual que un vaso de delicioso vino.

—Usted es un niño, Sinclair. Su destino lo ama. Va a llegar el día en que le pertenezca completamente, como usted lo desea, claro está, si le es leal.

Más calmado, volví a mirar su rostro. Me extendió su mano.

—Tengo pocos amigos —dijo con una hermosa sonrisa—, son pocos los que me dicen Frau Eva. Usted, si así lo quiere, me puede llamar también de esa manera.

Me condujo a la puerta, la abrió y me hizo un ademán señalándome el jardín.

—Max lo espera.

Aturdido, caminé bajo la sombra de esos árboles; no sabía si me encontraba despierto o estaba sumergido en las profundidades de uno de mis sueños. Se escuchaba la lluvia graciosa en las hojas de los árboles. Entré en el jardín que llegaba hasta el riachuelo y me metí en un cobertizo muy pequeño. Ahí se encontraba Demian boxeando con un costal de arena. Me sorprendió verlo así, porque el cuerpo de mi amigo era sorprendente. No tenía camisa y podía contemplar su amplio pecho, sus brazos fuertes llenos de músculo, su cabeza firme y masculina; sus movimientos surgían de su cintura delgada y coincidían de manera graciosa con sus grandes hombros.

—¡Demian! —grité—. ¿Qué es lo que estás haciendo?

Su risa llenó el cobertizo completamente.

—Estoy haciendo ejercicio. Le prometí al oriental que pelearía con él. Tiene la habilidad de un gato, pero no va a poder conmigo. Todavía me debe una humillación pequeña.

Se detuvo, se colocó la ropa y me dijo:

—¿Hablaste con mi madre?

—Sí, así es. ¡Es una mujer extraordinaria! ¡Eva! ¡Se llama igual que la perfección! Ella es la madre de todos los seres sobre la Tierra.

Me miró pensativo.

—¿Te dijo cómo se llama? ¡Tienes mucha suerte, muchacho! Eres el primero a quien le dice su nombre tan rápido. Te puedes sentir muy orgulloso.

A partir de ese día, crucé la puerta de esa casa como hermano, hijo, pero sobre todo, como amante. Cuando detrás de mí se cerraba la puerta del jardín, es más, en cuanto miraba los altos árboles que crecían ahí, me sentía dichoso. Afuera me esperaba la "realidad", las bibliotecas, las aulas, las calles, las casas, los hombres... Adentro encontraba sueños de fábula y amor. En esa casa vivíamos fuera del mundo, nos sumergíamos en nuestros pensamientos y conversaciones acerca del exterior. Y no estábamos alejados por paredes o muros, sino por la forma de mirar las cosas. Nuestro trabajo era construir una isla dentro de ese mundo, tal vez mostrar otra posibilidad de existencia. Yo, que me encontraba completamente solo la mayor parte del tiempo, pude conocer la comunión entre personas que estaban igual de solas que yo. Las fiestas de los felices y los elegantes nunca llamaron mi atención; nunca los envidié o me dolió que no fueran amigos míos. Paulatinamente me fui iniciando en el enigma de los que llevan la "señal".

Para los demás, todos los que llevamos la señal solo éramos personas extrañas, peligrosas y dementes. Despertábamos de un sueño y aspirábamos llegar a una vigilia todavía más perfecta, mientras que la ambición y la dicha de los otros eran solamente unir fuertemente ideas, deberes, opiniones, vidas y riquezas a los del rebaño. Nosotros, los marcados, éramos la representación de la Naturaleza hacia lo individual y el porvenir, mientras que los demás seres humanos únicamente vivían en una voluntad de permanencia. Ellos pensaban que la humanidad —a la que querían igual que nosotros—, era algo establecido que debía cuidarse y conservarse. En cambio, nosotros creíamos que era un futuro distante hacia lo que todos caminamos, y cuya imagen nadie conocía y cuyas leyes todavía no estaban escritas en ninguna parte.

Nuestro círculo, además de Eva, Max y yo, estaba compuesto de un discípulo de Tolstoi, de astrólogos, cabalistas y gente sensible, como naturalistas y vegetarianos que se encontraban en la búsqueda, al igual que nosotros. Algunos, más próximos a nosotros, revolvían en el ayer los esfuerzos de la humanidad para buscar dioses e imágenes distintas.

Sus estudios hacían que recordara a mi apreciado Pistorius. Todo el tiempo llevaban libros, traducían textos en lenguas antiguas, nos mostraban símbolos y ritos pasados intentando mostrar cómo el patrimonio de la humanidad estaba fundamentado en ideales que eran extraídos de sueños del alma inconsciente, de sueños en los que el ser humano seguía a oscuras las posibilidades de un futuro. Esta fue la forma en que recorrimos el enorme laberinto de los dioses antiguos hasta los comienzos del cristianismo. Pudimos estudiar las confesiones de gente solitaria y las transformaciones que presentaba cada religión a medida que pasaba de pueblo a pueblo. Todo lo que descubrimos fue una crítica de la Europa actual y de nuestro tiempo, que había tratado por todos los medios posibles, entregar armas nuevas y poderosas al hombre, perdiéndose en un hondo hueco de espiritualidad. De alguna forma, el mundo había ganado en bastantes cosas, pero había perdido su espíritu.

Y por lo que a esto se refiere, había gente que apoyaba y defendía esperanzas y doctrinas redentoras muy distintas. Podíamos encontrar budistas que aspiraban transformar a Europa en discípula de Tolstoi o de otras tendencias muy raras.

En nuestro círculo íntimo, nosotros escuchábamos todo y comprendíamos sus doctrinas únicamente como símbolos. Los marcados no debíamos perder el tiempo pensando en cómo construir el nuevo mundo. Nos parecía muerta y sin sentido cada doctrina y confesión. Nuestra concepción se fundamentaba únicamente en que cada ser humano tiene el deber y la obligación de encontrarse a sí mismo, de que viva entregado por completo a la fuerza interna de la naturaleza que él tiene, solamente de esa manera estará preparado para cualquiera que sea su futuro.

A pesar de las diferencias, todos los que nos reuníamos sentíamos muy próximo el ocaso de las cosas actuales. Demian decía continuamente:

—No es posible saber lo que sucederá. El alma de Europa es como un animal que ha estado encadenado demasiados años. Apenas se sienta libre, sus acciones no serán muy calmadas. Y no interesa los caminos que tome, lo que debe preocuparnos es si al final surgirá la luz auténtica en el alma, esa que ha estado dormida y engañada por millones de años. Ese día va a ser el nuestro; ese día se nos va a necesitar, no como orientadores o legisladores —porque nosotros no vamos a vivir las leyes nuevas—, sino como personas dispuestas a seguir e ir a donde nuestro destino nos lleve. Cuando ve amenazados sus ideales, cualquier hombre es capaz de hacer cosas sorprendentes, pero ninguno lo hace si se presenta un ideal novedoso o un movimiento que parezca misterioso y peligroso. Las pocas personas marcadas, como Caín, provocamos miedo entre los seres humanos de mentes estrechas. Todo hombre que ha trabajado sobre el camino de la humanidad, lo ha hecho porque su destino no estaba distante. De esa manera lo hicieron Napoleón, Buda, Bismarck o Moisés. Nadie puede elegir la ola que lo va a arrastrar ni el camino que deberá seguir. Si Bismarck hubiera comprendido a los socialdemócratas y hubiera admitido sus inspiraciones, hubiera sido un político sensato, pero nunca un hombre de destino. Y lo mismo sucedió con Ignacio de Loyola, con César, con Napoleón y con muchos más. Miremos esto desde un punto de vista histórico y biológico. Cuando las transformaciones en la Tierra sacaron a la superficie a los animales marinos, hubo especies preparadas para ello, se prepararon para aceptar su destino, para adaptarse a lo nuevo e imprevisto, consiguiendo salvaguardar de esa manera su especie. Nadie me puede asegurar si los animales que lo consiguieron eran los revolucionarios o los conservadores. Lo único innegable es que ellos estaban preparados y pudieron continuar viviendo. Esa es la razón por la cual queremos estar preparados.

Frau Eva asistía en muchas ocasiones a las charlas que sosteníamos, y participaba en ellas de un modo muy activo. Todos sentíamos que ella era una persona digna de nuestra entera confianza y comprensión y que sabía escuchar. Cuando hablábamos de eso, muchos de nosotros sentíamos que todo lo que decíamos y exponíamos tenía su origen en la hermosa dama y que, por algo enigmático, todo retornaba a ella. Me sentía, en lo personal, sumamente feliz con el sencillo hecho de sentarme junto a ella, escuchar, de vez en cuando, su dulce voz y sentirme parte de la atmósfera de espiritualidad y madurez que la rodeaba.

Ella tenía la habilidad de ver cuando yo presentaba cualquier duda, renovación o cambio. Tenía el presentimiento de que los sueños que tenía solo eran inspiraciones que provenían de ella. Cuando se los contaba, los comprendía y le parecían naturales; en ninguno de ellos halló problemas, probablemente por su clara intuición. Hubo un tiempo en que mis sueños solo eran la reproducción de conversaciones que ella y yo teníamos. Soñé que el mundo se estaba transformando y que yo, y Demian en algunas ocasiones, esperábamos preocupados el inmenso destino. Esto no era totalmente claro, pero llevaba los rasgos de Frau Eva, o sea, podría ser escogido o rechazado por ella, pero ese era mi destino.

En muchas oportunidades me dijo sonriendo:

—Usted olvidó lo más importante. Su sueño no es completo.

Ciertamente, y en ese instante, empezaba a recordar cierto pasaje de mi sueño que me parecía increíble que haya podido olvidarlo.

Esto me angustiaba muchas veces. Sentía que no me sería posible estar al lado de ella sin poder abrazarla. Ella también podía percibir este sentimiento, y cuando una tarde vio que llegaba a su casa con esta preocupación y desconcierto, me tomó de la mano, me llevó a un rincón alejado y me comentó:

—No se entregue a pasiones en las que realmente no crea. Sé muy bien lo que usted desea. Debe abandonar esos deseos o hacerlos suyos en realidad. Cuando usted llegue a pedir llevando en sí la total certeza de lograr ese deseo, la petición y la satisfacción van a coincidir en un solo momento. Lo que usted hace ahora es pedir y recriminarse a la vez; usted le tiene temor a sus deseos. Debe controlar esta situación. Déjeme relatarle una breve historia.

Empezó a narrarme la historia de un muchacho que se enamoró de una estrella.

—Este muchacho amaba a su estrella a las orillas del mar, extendía sus brazos intentando tocarla, soñaba con ella y únicamente pensaba en ella. Él sabía, o por lo menos eso pensaba, que nunca podría abrazar a su estrella. Él creía que su destino sería el de amarla sin esperanza de poder poseerla nunca. Con ello en su cabeza edificó todo un poema vital de renuncia y de sufrimiento callado y leal que lo habría de perfeccionar y purificar. Siempre estaba presente la estrella en cada uno de sus sueños. Una noche se encontraba sobre un acantilado, junto al mar, contemplando en la distancia su estrella y manifestándole todo su amor. En el clímax de su expresión cariñosa, el muchacho dio unos pasos al frente y se lanzó al vacío para poder alcanzar su estrella. Sin embargo, en el preciso instante de lanzarse por el aire, creyó que no le sería posible llegar a ella, cayendo en la plaza totalmente destrozado. Este muchacho había sido incapaz de amar completamente, porque si en el instante de intentar alcanzar su estrella hubiera creído con firmeza en la consumación de su amor con ella, hubiera logrado volar hasta donde estaba ella.

—El amor no se solicita —siguió la dama—, ni se exige. Debe tener la fuerza para llegar a la certeza, atrayendo en vez de extraer. Sinclair, por ahora, su amor es atraído por mí. Yo iré a usted el día que usted sea el que me atraiga. Quiero ser ganada, no deseo ser un regalo.

Frau Eva me contó otra historia unos días después. Era sobre un hombre que amaba sin ninguna esperanza. Este caballero se había encerrado dentro de sí mismo y creía que la llama de su amor lo consumía paulatinamente. Para él, el mundo dejó de existir. No era capaz de ver los verdes bosques o el cielo azul; no le era posible escuchar las notas del arpa o los riachuelos; había desaparecido todo lo que le rodeaba, dejándolo muy triste y solo. No obstante, su amor creció de tal forma, que prefirió continuar muriendo dentro de sí mismo antes de dejar de querer a la mujer de sus sueños. En ese instante, se dio cuenta de que su amor consumía todo lo que miraba opuesto en él, haciéndolo fuerte y consiguiendo que fuera atraída hacia él su lejana amada. Sin embargo, cuando la tuvo cerca y le extendió sus brazos, vio un cambio enorme en ella, y asombrado por esto, se dio cuenta de que había llamado junto a él a todo eso que él ya sentía perdido. El cielo, los bosques y los riachuelos se encontraban frente a él; todo lo que sentía perdido volvió con nuevos sonido, fragancias y colores, y ahora le pertenecían. Se dio cuenta de que, en vez de ganar una sola mujer, había conseguido tener en su corazón al mundo entero, y cada estrella que resplandecía en el cielo, hacía que él reflejara el placer por toda su alma... Este hombre había amado y, a través de su amor, pudo encontrarse a sí mismo. Sin embargo, la gran mayoría de los seres humanos ama para perderse.

El amor que sentía por Frau Eva era lo único que le daba sentido a mi existencia. Pero ella cambiaba de un día para otro. Unas veces sentía que lo que atraía mi alma no era ella en sí, sino que lo que me llamaba era el símbolo de mí mismo que miraba en ella y que me aproximaba cada vez más a mí mismo. En muchas ocasiones sus palabras eran respuestas de mi subconsciente a asuntos que me preocupaban mucho. En algunos instantes, cuando me consumía el deseo, besaba todo lo que hubieran tocado las manos de mi amada, consiguiendo que la realidad y el símbolo vencieran al amor sensual y espiritual. Tal vez en mi habitación pensaba en ella con serena intensidad, sintiendo sus manos y su boca en la mía. Podía sentir estar junto a ella, contemplar su rostro, conversar con ella y no saber si realmente estaba con ella o lo estaba soñando. Comencé a vislumbrar cómo un amor podía ser perpetuo y no morir nunca. Siempre que leía en un libro alguna idea nueva, era como si Eva me besara; y cuando ella pasaba con suavidad sus dulces manos sobre mis cabellos, o su boca delicada me sonreía e irradiaba en mí una hermosa luz de esperanza, era como si hubiera conseguido un importante adelanto espiritual. Todo lo que me fuera vital o que formara parte de mi destino, podía tomar la figura de Eva. Ella era capaz de transformarse en cualquier pensamiento que tuviera, y Eva era cada uno de mis pensamientos.

Por el simple hecho de apartarme quince días de Eva, sentía temor de las vacaciones navideñas en casa de mis padres. No fue de esa manera. Me sentía muy bien estando en la casa paterna y pensar en ella. Cuando finalizaron estos días de descanso, volví a mi universidad y estuve dos días sin visitar a mis amigos, disfrutando ese sentimiento de independencia y seguridad física que sentía. Algo que también me gustó de esos días, era que en mis sueños tenía una aproximación a Eva muy distinta y con nuevas formas simbólicas. En algunas oportunidades, ella se transformaba en el mar donde yo desembocaba. En otras, ella era un estrella distante a la cual yo llegaba caminando, encontrándonos en un punto del espacio y sintiendo una atracción recíproca; nos manteníamos juntos y dábamos vueltas de la mano por órbitas vecinas, dichosos de estar uno al lado del otro.

Cuando finalmente volví a verla, le hablé a Eva sobre mis nuevas fantasías.

—Bello sueño, Sinclair —me dijo sonriendo—. Realícelo.

Sucedió algo que nunca voy a olvidar, unos días antes de que llegara la primavera. Por la tarde llegué a casa de Max y estaba abierta una de las ventanas, diseminando por toda la estancia la fragancia densa de los jacintos. No miré a nadie por ahí, de manera que subí al estudio de mi amigo, toqué la puerta y entré sin esperar una respuesta, como lo hacía siempre.

La habitación estaba completamente oscura, con las cortinas cerradas. Me pude dar cuenta de que la puerta que conducía al pequeño laboratorio químico de Max se encontraba abierta; de ella salía la luz hermosa y clara que anunciaba la próxima llegada de la primavera. Cerré las cortinas, pensando que no había nadie.

Junto a otra ventana, sentado en una silla y con una cara muy distinta a la de siempre, vi a mi amigo Max Demian. El recuerdo de haberlo observado de esa manera anteriormente me fulminó como un relámpago. Demian estaba tranquilo, con las manos caídas sobre sus muslos y con los brazos inmóviles. Se encontraba algo inclinado hacia adelante; sus ojos miraban sin ver, estaban totalmente abiertos pero sin vida; parecían dos cristales que reflejaban la luz. Su rostro estaba lívido y parecía la cara de una vieja máscara de museo. Daba la impresión de que Demian no estaba vivo.

Justamente así lo había visto cuando yo era apenas un chiquillo. Al igual que en este momento, en esa época sus ojos estaban mirando hacia adentro, sus manos inertes, y una mosca jugueteando alrededor de su cara. En este instante, al igual que hace años, tenía el mismo semblante intemporal; su rostro estaba igual que cuando lo vi así en nuestro salón por primera vez.

Me invadió un terror incontrolable y salí corriendo de la habitación. Bajé la escalera apresuradamente y me topé con Eva. Su cara estaba pálida y se veía extenuada; nunca la había visto de esa manera. Por la ventana entraba una sombra. Habían desaparecido, sin razón alguna, el sol y la luz que este emitía.

—Entré a la habitación de Max —dije a Eva en voz baja—. ¿Ha sucedido algo? Lo vi meditando o dormido, no estoy seguro. En una ocasión lo vi así.

—¡No le habrá despertado! —dijo rápidamente.

—No, por supuesto que no. Salí rápido de su cuarto. Dígame, por favor, ¿qué es lo que ocurre?

Y me dijo, mientras pasaba su mano por la frente:

—Sinclair, tranquilo, no pasa nada. Max se ha ido; no tardará en volver.

Eva salió caminando tranquilamente hacia el jardín sin darle importancia a la inminente lluvia. Sabía que era necesario dejarla sola, de manera que permanecí en la casa y anduve de un lado a otro respirando la fragancia de los jacintos. Contemplé mi dibujo del pájaro, la pared y aspiré muy triste el perfume que invadía ese día la casa de mis amigos. ¿Por qué sucedía todo esto? ¿Cuál era la razón?

Eva volvió a la casa con el cabello un poco humedecido por las gotas de lluvia. Se aproximó a un inmenso sillón y, muy cansada, se sentó en él. Me acerqué con amabilidad y besé el cabello húmedo de Eva. Sus ojos reflejaban calma y serenidad, pero me supieron a lágrimas las gotas de su cabeza.

—¿Desea que vaya a acompañar a Max? —pregunté en voz baja.

Ella solo sonrió ligeramente.

—Sinclair, no sea infantil —dijo en voz alta, intentando romper el hechizo—. Váyase por favor y vuelva después. Ahora no puedo hablar con usted.

Salí corriendo de la casa y de la ciudad y me escondí en las montañas que vigilaban con celo ese sitio. Caía una pertinaz lluvia y las nubes volaban bajo y asustadas bajo una visión muy poderosa. El viento en la ciudad corría ligeramente, no obstante, era tempestuoso en las alturas. Repentinamente, entre las grises nubes se podía ver una luz hermosa y clara del oculto sol.

En ese instante pude observar una ligera nube de color amarillo que llegaba hasta donde estaban conglomeradas las grises. En unos cuantos minutos, una figura se formó con el azul y el amarillo del firmamento; era un inmenso pájaro que se alejaba del caos azul y desaparecía volando. En ese instante comenzó una gran tempestad y la lluvia cayó de manera torrencial con granizo. Un trueno muy leve, pero espantoso, cayó sobre el azotado paisaje. Después volvió el sol, y brilló la blanca nieve sobre las montañas que cubrían al bosque. Cuando volví, mojado y sin aliento, Demian abrió la puerta y me recibió. Lo acompañé a la habitación y vi un mechero de gas que estaba rodeado de muchos papeles. Tuve la sensación de que mi amigo estuvo trabajando en algo.

—Siéntate —dijo—. Indudablemente estás cansado. El tiempo está muy feo y puedo darme cuenta de que has estado caminando allá afuera. En unos instantes nos van a subir el té.

—Hoy sucede algo —dije vacilante—; no es únicamente esta tempestad.

Max me miró de una forma muy extraña y me preguntó:

—¿Viste algo?

—Sí. Vi una imagen muy nítida entre las nubes.

—¿Qué imagen?

—Era el pájaro.

—¿El gavilán? ¿Estás completamente seguro de ello? ¿El pájaro de los sueños?

—Sí, era mi pájaro. Amarillo e inmenso voló hacia el firmamento azul oscuro.

Demian tomó aliento profundamente. La criada llegó con el té.

—Sinclair, sírvete por favor... ¿No habrá sido tu imaginación?

—No, Demian. Esas cosas no se ven por casualidad.

—En efecto. Esto debe significar algo. ¿Sabes qué?

—No. Pienso que se trata solamente de una conmoción, un adelanto hacia el destino. Pienso que todos tenemos algo que ver.

Demian caminaba intranquilo por todo el cuarto.

—Un adelanto en el destino —dijo pensando—. Esta noche he soñado eso mismo, y ayer mi madre tuvo un presentimiento que le decía justamente lo mismo. Yo soñé que estaba subiendo por una escalera, a lo largo de una torre o de un tronco. Cuando alcanzaba la cima, observaba al país en fuego; era una inmensa llanura con ciudades y pueblos. No te puedo decir todo con detalles, pues todavía no está muy claro.

—¿Ese sueño se refiere a ti? —pregunté.

—Claro. Jamás se sueñan cosas que no nos pertenezcan. Pero, en efecto, no es exclusivo para mí. Sé muy bien cuando un sueño presagia movimientos en mi espíritu, pero hay otros que, raramente, presagian el destino de estos, pero nunca he tenido uno que haya sido un vaticinio cumplido. Su interpretación siempre es dudosa. Lo que realmente sé es que tuve un sueño que no me es exclusivo. Este sueño es la continuación de otros en los que tuve presentimientos que ya te he comentado. No pienso que el hecho de que nuestro mundo se esté desmoronando sea suficiente para predecir una tragedia o ruina. Pero he tenido sueños desde hace varios años que me hacen pensar seriamente en el fin del antiguo mundo. Inicialmente eran visiones lejanas, pero a medida que han transcurrido los años, se han hecho más fuertes y reales. Lo único que sé muy bien es que algo grande y aterrador está por llegar, y eso me atañe. Sinclair, pienso que viviremos lo que tantas veces hemos conversado. Es inevitable la renovación del mundo; huele a muerte, porque nada nuevo nace si no es de la muerte. Esto es mucho más grande de lo que yo pensaba.

Miré fijamente Max, preocupado por sus palabras, y le pregunté:

—¿Me podrías decir algo más de tu sueño?

Su rostro se mostró evasivo y hosco.

—No.

En ese instante, la puerta se abrió, y entró Frau Eva.

—¿Continúan aquí? ¿Se sienten tristes?

Había desaparecido completamente el agotamiento que mostraba su cara minutos antes. Demian la miró con ternura y le sonrió. Eva llegó a nosotros como lo hace toda madre cariñosa que quiere tranquilizar a los hijos que están angustiados por algo.

—No, madre, no estamos tristes; estamos pensado un poco sobre los nuevos signos. Pero esto no nos mortifica. Cualquier cosa que vaya a ocurrir, ocurrirá pronto; y en ese instante, sabremos qué es lo que tenemos que hacer.

Yo estaba muy afligido y me sentía muy mal por todo lo que había vivido esa tarde. Al despedirme de mis amigos, crucé el salón y la fragancia de los jacintos me pareció fúnebre, marchita y débil. Nos cubría una sombra.

EL PRINCIPIO DEL FIN

Conseguí que me dejaran quedarme en la Universidad durante las vacaciones de verano. Todos los días los pasábamos fuera de la casa, en el jardín al lado del río. El japonés ya se había marchado, no sin antes ser derrotado por mi amigo Max. Otra de las personas que ya se había ido era el discípulo de Tolstoi. Max iba a montar todos los días, y esto me permitía pasar instantes a solas con Eva.

En muchas ocasiones me asombré de la paz y serenidad que reinaban en mi vida. Mi costumbre de estar solo, de renunciar a todo y de sumergirme en mis sufrimientos, hacían que la Universidad y esa hermosa ciudad me parecieran un auténtico paraíso en el cual podía vivir plácidamente, maravillado por todos esos mágicos instantes. Estaba convencido de que se trataba del comienzo de la nueva comunidad superior de la que tanto conversábamos. Sin embargo, la tristeza se fue apoderando de mí poco a poco, pues entendí que no podía ser para siempre la dicha y todo lo hermoso que sentía. No estaba permitido para mí vivir en el placer y en la abundancia; mi destino era la zozobra y la tristeza. Creía que algún día llegaría el tiempo en que tendría que despertar de todas esas cosas hermosas e imágenes de amor para enfrentar el mundo frío en el que habitaba, y al cual pertenecía desde siempre, y mi soledad.

En esos instantes, respiraba gustoso la dulzura de estar junto a Eva. Era dichoso de que mi destino todavía se mostrara benévolo conmigo. Transcurrieron rápidamente los días de verano. El semestre en la Universidad estaba próximo a culminar, de manera que era inminente la despedida de Eva. No debía pensar en ello, me dedicaba a disfrutar todos y cada uno de los instantes junto a ella sin preocuparme por lo que me depararía el mañana. Esos habían sido mis años dichosos; los años en que me había realizado por completo. ¿Qué era lo que seguía? Tal vez tendría que comenzar de nuevo a luchar en contra de calamidades, volver a encontrarme solo, volver a sufrir nostalgias.

Este aterrador pensamiento un día se adueñó con tal fuerza de mí, que sentí que me consumían las llamas de mi amor por Eva. Se aproximaba el día en que ya no podría mirarla ni escuchar sus pasos firmes por su casa; ya no estarían más en mi mesa sus flores. Y ¿yo qué había conseguido? Lo único que conseguí fue soñar y mecerme en su serenidad, pero no la gané; en vez de llevarla hacia mí y luchar por su amor, únicamente había soñado. Vino a mi memoria cada palabra que me dijo sobre el auténtico amor; esas palabras que parecían una sutil recomendación, una atracción latente, una hermosa promesa. Y ¿yo qué había hecho al respecto? Pues, absolutamente nada.

Me paré en medio de mi cuarto y enfoqué todo mi poder en un solo pensamiento: Eva. Quería hallar la fuerza en mi espíritu para poder demostrarle todo mi amor, para que llegara a mí. Eva debía llegar a mí y pedirme que la abrazara; mi boca, con el amor y la dulzura de sus labios maduros, tenía que saciar su sed.

De esa manera me mantuve durante varios minutos hasta que un frío helado invadió todo mi cuerpo. Estaba seguro de que de mí emanaba una fuerza muy poderosa. Durante unos segundos, algo dentro de mí se contrajo con mucha intensidad, algo muy claro y extremadamente frío. Sentí cómo mi corazón se transformaba repentinamente en un cristal gélido que congeló mi pecho Eso era lo que yo expresaba.

Al despertar de ese espantoso trance, sentí que venía algo hacia mí. Estaba muy agotado, pero ansioso de ver entrar a Eva, hermosa y radiante, en mi cuarto.

Llamó mi atención el cabalgar de un caballo a lo lejos; cada vez se escuchaba más próximo el sonido de su trote. Eché a correr hacia la ventana y me di cuenta de que mi amigo Max descendía de su caballo. Bajé las escaleras y me fui a encontrar con él.

—¿Ocurre algo Demian? ¿Tu madre está bien?

Max no escuchó una sola palabra mía. Su cara lívida y cubierta de sudor me decía algo que no comprendía. Amarró las riendas de su caballo, tomó mi brazo y empezamos a caminar por las calles.

—¿Sabes qué ha pasado?

Yo no tenía ni idea.

Con mucha fuerza, Demian sujetó mi brazo y me miró de una forma muy rara y piadosa.

—Sí, así es Sinclair, la cosa estallará. En Rusia hay graves problemas...

—¿Será acaso una guerra? No pensé que esto podría llegar a suceder.

Sin importarle que la calle estuviera desierta, Demian casi susurraba.

—Aun no se declara, pero habrá guerra, eso es seguro. Desde aquella ocasión que hablamos sobre ello, no te he contado otra vez con respecto a mis sueños, pero desde entonces he tenido tres avisos. No es el fin del mundo, ni un terremoto o una revolución; es una guerra. ¡Te vas a dar cuenta del tremendo impacto! Muchos la van a recibir contentos; es más, sé que hay gente que está ansiosa porque comience la guerra. ¡Qué existencia tan insípida! Y esto es solamente el comienzo, Sinclair, porque será una enorme guerra, una guerra de proporciones asombrosas. Sin embargo, solo será el principio. Está por empezar lo nuevo, de manera que los seres humanos que se aferran a lo establecido y a lo viejo van a sufrir demasiado. Amigo, ¿tú que piensas hacer?

Por unos segundos, me dejó mudo la confusión de la noticia. No podía creer lo que me había dicho mi amigo, era como si se tratara de una mentira, de algo irreal.

—No lo sé. ¿Tú qué harás?

Hizo una mueca de duda y encogió sus hombros. Y después me dijo, con un brillo muy especial en sus ojos:

—Me incorporaré en cuanto pueda y comience todo. Soy el oficial Sinclair.

—En verdad; ¡no tenía ni la más mínima idea!

—Sí, así es. Una de mis adaptaciones fue esa. Tú sabes que jamás me ha gustado llamar la atención y que siempre he tratado de hacer lo que considero correcto. Yo espero que en una semana ya esté al frente de la batalla.

—¡Oh, mi Dios!

—Amigo, no tienes por qué angustiarte. Sé bien que muy dentro de mí, la idea de mandar a asesinar a alguien no me hace dichoso, pero eso no es lo realmente importante. Es el instante de ser parte de esta inmensa rueda. Tú también deberías entrar. Probablemente te alistarán en la batalla.

—Dime, ¿y tu madre?

En ese instante recordé todo lo que había hecho esa tarde en mi cuarto. ¡Qué forma de cambiar el mundo en unos pocos segundos! Todas mis fuerzas estaban enfocadas en llamar lo más hermoso y sagrado para mí, y ahora, repentinamente, el destino me pegaba en el rostro con algo aterrador y amenazante.

—Amigo, no tenemos que preocuparnos por mi madre. En todo el mundo, ella es la que está más segura... ¿Tu amor por ella es tan grande?

—Demian, ¿acaso tú lo sabías?

Su noble mirada y su sonrisa sincera me hicieron comprender lo torpe de mi pregunta.

—¡Por supuesto que estaba enterado! Nunca nadie había llamado a mi madre por su nombre; te digo más, nadie nunca la había llamado Eva sin amarla. Ahora bien, ¿hoy qué sucedió?, ¿le hablaste, no es cierto? O ¿me llamaste a mí?

—No, llamé a tu madre.... a Eva, la he estado llamando toda la tarde.

—Ella ya lo sabía. Me dijo que te viniera a visitar precisamente cuando le estaba diciendo lo que estaba sucediendo en Rusia.

En ese instante comenzamos a caminar en dirección a mi casa. No volvimos a comentar nada al respecto, ni de mi querida Eva ni de la guerra. Cuando llegamos, Demian soltó su caballo, montó en él y se marchó.

Cuando llegué a mi cuarto, me di cuenta de lo agobiado y cansado que me habían dejado las noticias que me trajo Demian, pero estaba seguro de que gran parte de mi agotamiento, se debía al gran esfuerzo que hice antes de que él llegara. ¡Eva me escuchó! ¡Pude alcanzarla con mi corazón y mis pensamientos! Ella misma hubiera venido directamente a mis brazos... ¡Cuánta hermosura y qué raro era todo al mismo tiempo! Era momento de pensar en la guerra. Demian sabía que iba a llegar. Junto a nosotros no pasaría el cambio fundamental del mundo, sino que iba a arrollarnos con toda su fuerza; estaba cerca el momento de ellos y, en su transformación, el mundo nos necesitaba. Una vez más, la razón asistía a mi amigo Demian: ya no había tiempo para sentimentalismos. Sin embargo, era demasiado curioso que algo tan solo y aislado como el "destino" uniera a tanta gente en todo la Tierra.

Me encontraba preparado para lo que viniera. Cuando llegó la tarde, salí a pasear por la ciudad para tratar de ponerle orden a mis ideas. Por todas las calles el ambiente era de exaltación; en cualquier rincón se escuchaba la palabra "guerra".

Me dirigí a casa de mis amigos y cené con ellos en su jardín. Nos encontrábamos solos los tres y en toda la velada ninguno pronunció la palabra "guerra". Eva me dijo, cuando me iba a retirar:

—Usted me llamó hoy, querido Sinclair, y sabe la causa por la cual no acudí. Nunca olvide que ahora conoce la forma de contactar; puede usar esta llamada cuando sienta la necesidad de que alguien con la señal lo auxilie.

Después de decir esto, Eva se puso en pie y desapareció en la oscuridad del jardín. Hermosa, alta y con majestuosidad caminó frente a nosotros evaporándose entre árboles silenciosos. Cuando se perdió en el jardín solo logré ver unas luces resplandecientes, parecidas a estrellas, que irradiaba su cabeza.

Llegó el fin de esa noche. Sucedió rápidamente todo lo que tenía que ocurrir. Comenzó la guerra y Demian se marchó. Su apariencia era distinta a la que usualmente veía casi a diario; su aspecto era muy extraño con su uniforme gris con capa y gorra militar. Eva y yo lo acompañamos al tren. Ya de vuelta, me despedí de mi amada Eva; hacerlo no me llevó mucho tiempo. Durante unos minutos, ella me abrazó y me dio un beso en la boca; sentí su pecho tibio, al tiempo que sus inmensos ojos brillaban frente a los míos.

Todos los hombres estaban viviendo un sentimiento de auténtica hermandad. Todos tenías frases y conversaciones honrosas y patriotas. Lo que no sabían muy bien, era que todos ellos miraban el futuro sin máscaras delante de ellos. Hombre muy jóvenes abandonaban los cuarteles y abordaban trenes para unirse al servicio. Pude ver una señal —no la nuestra— en muchos rostros, una hermosa señal que tenía fragancia a amor y muerte. Me abracé fuertemente con gente desconocida, creyendo que ese sentimiento que llevaban dentro los forzaba a querernos. En la inaplazable confrontación con el destino que estaba por llegar se encontraba el origen de ese sentimiento de hermandad.

Yo ya estaba listo, y al frente de la batalla, para cuando llegó el invierno.

Inicialmente, y a pesar de la sensación de lucha y cambio, me sentí desilusionado. Antes me había cuestionado un sinfín de veces por qué eran tan pocos los seres humanos que lograban vivir para un ideal. Pero ahora conseguía comprender que un hombre puede llegar a dar su vida por un ideal, aunque no fuera el suyo, sino uno común y que se transmitía entre todos los demás.

Logré sentir, con el transcurrir de los días, aprecio por varios de esos hombres y comencé a darme cuenta de que los había catalogado en menos de lo que eran en realidad. Pese a la uniformidad que el ejército conseguía en todos los que participaban en el combate, pude ver a muchos que, con arrogancia, en plena vida o a punto de perderla, se aproximaban a la voluntad del destino. Algunos de ellos tenían en todo momento una mirada obstinada y fuerte que nunca ve el final de las cosas, mostrando total entrega a lo aterrador. Estos hombres, sin importar sus ideas, siempre se encontraban preparados para participar y formar lo que sería el mañana. Y les importaba muy poco que el mañana se presentara terco a no cambiar absolutamente nada, a continuar con las bases tradicionalistas de siempre, a su idea de guerra, honor y heroísmo, y que cualquier grito de la humanidad quedara todavía más distante que en este momento; todo eso era fútil, igual que la finalidad de la guerra en asuntos políticos. Muy en el fondo, se podía sentir que un embrión de cambio se estaba gestando; algo muy similar a una humanidad nueva. Esto lo sabía por el sencillo hecho de ver a muchos —varios fueron los que cayeron muertos a mi lado—, que habían conseguido darse cuenta de que el rencor, el odio, la muerte y el exterminio no eran la finalidad de la guerra. Los sentimientos primitivos, aun los más feroces, no estaban dirigidos al enemigo; la acción sangrienta y mortífera de ellos solamente era un espejo que reflejaba lo que se tenía dentro, un alma dividida en dos que necesita desahogarse, destruir, matar y morir para poder renacer nuevamente. Un enorme pájaro luchaba por salir del cascarón, este era el mundo y tenía que caer despedazado.

Una noche de primavera, me tocó hacer guardia en una granja ocupada por mi compañía. Esa noche se sentía un aire sereno y caprichoso. En el cielo, algunas nubes pasaban como marchando y escondiendo a la hermosa luna por instantes. Había estado, ese día en particular, muy intranquilo y preocupado por algo. Mientras me encontraba en mi puesto, pensaba en las enormes imágenes que se encontraban a mi alrededor; creía vehementemente que las imágenes eran mi existencia. Ellas eran Eva, eran Demian. Apoyado sobre un árbol miraba el cielo que, de manera caprichosa, iba formando imágenes reales para mí. La insensibilidad de mi piel al ligero viento, mi pulso inconstante y las imágenes en mi mente me indicaban que cerca de mí estaba algún guía.

En las nubes pude ver una inmensa ciudad de la que salían innumerables hombres que se diseminaban en enjambres. Había, en el centro de ellos, una luz de un tamaño majestuoso y de estrellas brillantes. Su rostro era el de Eva, mi amada. Pude ver cómo los hombres entraban a ella; como si se tratara de una gigantesca cueva en la cual se desaparecían. Después que entraron todos, la mujer tomaba asiento en el suelo y la gran señal brillaba en su frente. Daba la impresión de que estaba cansada y adormecida; cerró sus ojos y su rostro hizo una espantosa mueca de dolor. Repentinamente, se escuchó un grito estridente y salieron de su frente millones de estrellas que volaron por el cielo oscuro.

Como si me estuviera localizando, una de esas brillantes estrellas se me acercó. Explotó en mil pedazos frente a mí e hizo que volara varios metros; caí al suelo y a mi alrededor se destruyó el mundo entero. Me hallaron al lado del árbol, con heridas muy graves en mi cuerpo y lleno de lodo.

Tendido en una cueva muy oscura escuchaba el ruido estruendoso de cañones muy cerca de ahí. Me subieron después a una carreta y comencé mi travesía por caminos solitarios. Gran parte del tiempo dormía o me desmayaba por el agotamiento. Cuando mis sueños eran lo bastante profundos, más inmensa era la atracción hacia algo que me estaba llamando desde afuera. Elegí obedecer a esa fuerza externa que se había apoderado de mí.

Al despertar, estaba tendido en un establo; por cama solo tenía paja y no había ninguna luz que me iluminara. Alguien pisó mi mano, pero algo dentro de mí me decía que debía continuar hacia adelante; la fuerza que me llamaba me seguía atrayendo. Emprendí de nuevo mi viaje en la carreta y después me llevaron en una camilla por unas escaleras; la llamada era cada vez mayor, de manera que solamente tenía la necesidad de llegar al sitio donde me llamaban. Ya estaba ahí, finalmente.

Cuando llegué a mi destino, noté que ya era de noche. Al fin me encontraba consciente del todo, ya que me di cuenta de que, apenas hacía unos minutos, me invadieron el deseo y la atracción. Me encontraba tirado en el suelo de una enorme habitación y pensé que ese era el sitio del cual fui llamado. Miré alrededor y hallé un colchón al lado del mío; en él estaba acostado un hombre herido. Alzó un poco su cabeza y me miró. Pude ver con claridad la señal en la frente. Era Max Demian.

Ninguno de los dos pudo pronunciar ni una sola palabra; tal vez él no lo quiso en ese instante. Cerca de su cabeza había una lámpara que alumbraba su hermosa cara. Solo me sonrió.

Fueron muchos los minutos que se dedicó a mirarme fijamente. Después se acercó a mí y susurró:

—Sinclair.

Le dije, con la mirada, que le entendía muy bien.

Sonrió de manera compasiva otra vez.

—¡Muchacho! ¡Sinclair! —dijo.

Su voz casi era imperceptible. Nuestras bocas estaban muy cerca, y siguió:

—¿Te acuerdas de Franz Kromer?

Con mi cabeza, le respondí que sí y también le sonreí.

—Escucha muy bien lo que te diré, pequeño Sinclair. Me tengo que marchar. Probablemente alguna vez necesites de mi apoyo para pelear en contra de Kromer o contra cualquier otro personaje. Si me llamas no me voy a aparecer rústicamente, en caballo o en tren. Ahora, para que te des cuenta de que me encuentro ahí deberás escuchar muy bien en tu interior. ¿Comprendes lo que te estoy diciendo? Hay algo más. Eva me comentó que si algún día te iba mal, te diera un beso que ella me dejó antes de irse... Amigo, cierra tus ojos.

Obedecí la orden de Demian y sobre mi boca sentí un beso ligero; había un poco de sangre en los labios que daba la impresión de que no quería desaparecer. Caí dormido en ese instante.

Una enfermera que curaría mis heridas me despertó a la mañana siguiente. Cuando me giré a mirar a mi amigo, solamente pude mirar junto a mí a un hombre desconocido y muy mal herido. Nunca antes lo había visto.

Me dolió mucho la cura de la enfermera. Desde ese instante, todo lo que ha ocurrido en mi vida me ha perjudicado. Sin embargo, cuando consigo hallar la llave, entro en mí y me tropiezo con el espejo oscuro donde reposan las imágenes del sino; llego allí, me inclino sobre la superficie negra del espejo y miro mi propia imagen, esa imagen reflejada es muy similar a él, a mi guía, a mi amigo.

Índice